LES ANNÉES-LUMIÈRE
est le cent cinquante et unième ouvrage
publié chez
VLB ÉDITEUR.

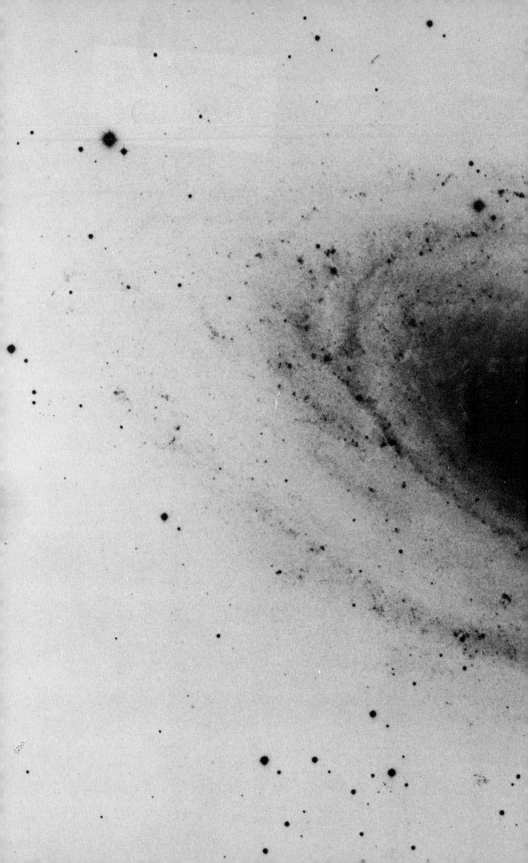

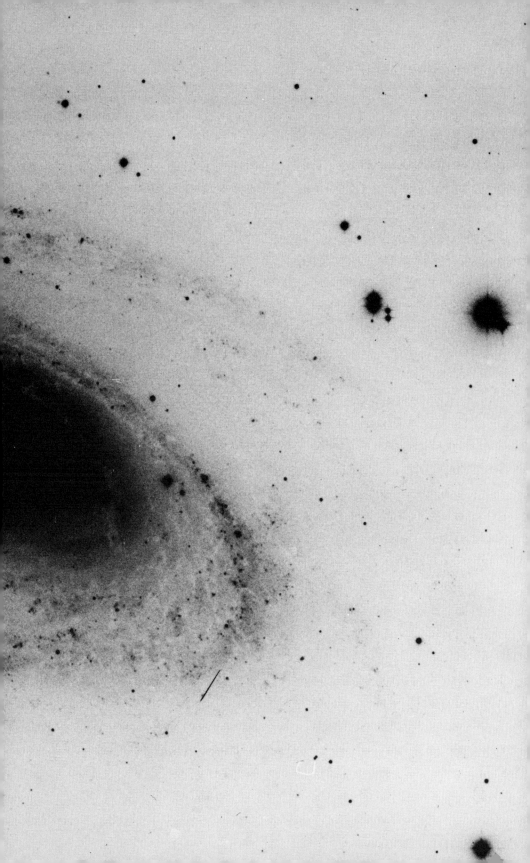

Alexandre Amprimoz, Jean-Pierre April,
François Barcelo, Michel Bélil,
André Carpentier, Agnès Guitard,
Huguette Légaré, Michel Martin,
Jean Pettigrew, Esther Rochon

Les années-lumière

Dix nouvelles de science-
fiction réunies et présentées
par Jean-Marc Gouanvic

vlb éditeur

VLB ÉDITEUR
918 est, Sherbrooke
Montréal
H2L 1L2
Tél.: 524.2019

Maquette de la couverture:
Mario Leclerc

Illustration de la couverture:
Catherine Saouter Caya

Photo pages 2 et 3:
Martin Robinson

Photocomposition:
Atelier LHR

Distribution en librairies et dans les tabagies:
AGENCE DE DISTRIBUTION POPULAIRE
955, rue Amherst
Montréal
H2L 3K4
Tél.: à Montréal — 523.1182
        de l'extérieur — 1.800.361.4806
                              1.800.361.6894

La science-fiction: une littérature à surveiller

Jean-Marc Gouanvic

Selon certains, ce serait une littérature pour analphabètes, une évasion pour adolescents attardés, un divertissement anodin, et même une «machine à décerveler»... Ceux qui s'expriment ainsi connaissent-ils la science-fiction? Connaissent-ils Philip K. Dick, Ursula Le Guin, Stanislas Lem, Michel Jeury, Stefan Wul et les grands classiques de la science-fiction internationale?

Sans doute de tels jugements sans appel sont-ils fondés sur l'imagerie débilitante des superhéros des *comics* américains, sur les dessins animés agressifs à la *Goldorak,* et aussi sur l'envers de la médaille, l'angélisme des héros lénifiants venus de l'espace, dont le prototype est maintenant E.T.

Pourtant, il ne viendrait à l'esprit de personne de porter un jugement sur la poésie ou sur le roman réaliste dans leur ensemble à la seule lecture d'un poème d'écolier ou d'un roman à l'eau de rose. La science-fiction exige qu'on la traite avec le même sérieux. Ce livre, qui, je l'espère, saura procurer un réel plaisir au lecteur, a aussi pour but de le faire pénétrer dans l'univers multiforme de la science-fiction. Que les dix textes de cet ouvrage soient de la main d'auteurs canadiens-français et notamment québécois ajoutera à n'en pas douter à leur intérêt.

Survol historique

Il est généralement admis que le «père fondateur» de la science-fiction moderne est Hugo Gernsback, Luxembourgeois émigré aux États-Unis en 1904 à l'âge de vingt ans. C'est lui qui a eu l'idée de consacrer un magazine complet (*Amazing Stories*) à des récits scientifiques et technologiques. C'était en 1926. Le succès de la science-fiction à l'américaine (le terme «Science Fiction» est de Gernsback) imposa à presque toutes les cultures occidentales ces modèles auxquels je faisais allusion il y a un instant. Dès cette époque, la science-fiction se constitue en une «sub-culture» avec ses pratiques et ses jargons incompréhensibles aux non-initiés, en un ghetto délibérément entretenu par ses grands prêtres, toutes choses qui donneraient raison aux détracteurs de la science-fiction.

Par bonheur, cette littérature n'a pas attendu Gernsback pour exister. Des centaines de récits sont parus au XIXe siècle, des ouvrages d'envergure dont les auteurs sont Rosny Aîné, Jules Verne, H.G. Wells... On assiste avec la naissance de la «science-fiction américaine du ghetto» à une baisse de qualité et d'audience. Au tournant du siècle, tout semblait possible au «roman scientifique»! N'est-il pas significatif que le premier prix Goncourt (1903) ait été décerné à *Force ennemie,* un authentique roman de science-fiction, de J.-A. Nau?

Certes, la SF à la Gernsback n'a pas eu que des effets négatifs. Après quelques décennies d'atermoiements lourds de conséquences, l'expérience américaine contribua au développement de sciences-fictions nationales, comme en France dans les années cinquante. La reconnaissance du genre «SF» doit beaucoup au succès du modèle américain de la «mass literature». Mais cela ne va pas sans de graves ambiguïtés et une coupure d'avec le reste de la littérature, auxquelles il est possible d'échapper. Au Québec, la science-fiction est dans une phase cruciale de son histoire. Deux modèles s'offrent à elle, celui directement hérité de la «SF du ghetto» et celui qui cherche sa pleine reconnaissance comme littérature, en se donnant les moyens d'une telle reconnaissance. Le succès de l'un ou de l'autre de ces modèles décidera de l'avenir de la littérature «science-fiction» pour quelques décennies.

Plus que jamais, la SF doit s'ouvrir aux lecteurs de

littérature tout court. Que des auteurs comme François Barcelo, Agnès Guitard, Jean-François Somcynsky, Huguette Légaré, André Carpentier, Pierre Billon et Jean O'Neil pratiquent la SF sans timidités est de bon augure pour son avenir.

La science-fiction au Québec

Des critiques et un groupe de chercheurs travaillent actuellement à exhumer les œuvres oubliées de la science-fiction québécoise antérieures aux années soixante-dix. Il est possible que la SF publiée au Canada-français et notamment au Québec atteigne la centaine d'œuvres. La première pourrait bien être «Mon Voyage à la lune» de Napoléon Aubin, parue en 1839 dans *Le Fantasque* et rééditée dans *Imagine...*, no 8/9. Il s'agit d'un récit dans la veine satirique de Cyrano de Bergerac et l'on ne peut parler de science-fiction à propos de ce texte, comme de beaucoup d'autres qui viendront après lui, que si l'on tient compte de ceci: la SF n'existe au Québec que depuis que le genre est reconnu comme entité distincte. Cette reconnaissance s'est faite aux É.-U. par le biais de publications comme *Amazing Stories,* par des collections spécialisées, par des ouvrages issus de la science-fiction américaine, française, britannique... C'est pourquoi un monde sépare *Les Tours de Babylone* (1972) de Maurice Gagnon, ou *Un Été de Jessica* (1978) d'Alain Bergeron, de *Pour la patrie* (1895) de J.-P. Tardivel, *Similia Similibus* (1916) d'Ulric Barthe, ou *La Fin de la terre* (1931) d'Emmanuel Desrosiers. Les premiers appartiennent à la science-fiction moderne qui a gagné son statut de genre littéraire reconnu grâce à ses caractéristiques imaginaires propres, sa vision du monde et des supports éditoriaux autonomes aux É.-U. et en France. Les seconds sont lourdement chargés des idéologies réactionnaires en vogue au XIXe siècle, cléricalisme, socio-darwinisme à l'échelle des États-nations, pessimisme eschatologique.

Quelles que soient les trouvailles à venir, un fait est essentiel. En dépit de leur intérêt, tous ces récits n'ont jamais constitué un courant littéraire homogène. On peut seulement parler de science-fiction au Québec depuis que des auteurs, des revues, des critiques, des collections spécialisées ont opéré un regroupement qui, à court ou moyen termes, pourra permettre le plein épanouissement de cette littérature. À ce jour, il existe deux collections spécialisées, «Espaces Imaginaires» (Les Imaginoïdes éd.) et «Chroniques du futur» (Le Préambule); une revue, *Imagine...*, et un magazine, *Solaris,* sont les deux bancs d'essai des jeunes auteurs du Québec tout autant que les supports d'édition d'écrivains plus chevronnés.

Mais venons-en aux textes de cette anthologie. Sur la cinquantaine de nouvelles publiées dans *Imagine...* depuis quatre ans, on trouve une diversité de tons et de préoccupations. Pour guider le lecteur dans le dédale thématique où il risque de se perdre, je souhaiterais en conclusion de cette présentation attirer son attention sur ce qui suit. La science-fiction est un genre littéraire qu'il est commode de caractériser par des thèmes: voyages dans le temps, voyages dans l'espace, fins du monde, aventures technologiques, etc. Ces thèmes appartiennent bien à la science-fiction, mais considérés pour eux-mêmes, ils risquent d'être les arbres qui cachent la forêt. Bien plus qu'un catalogue de thèmes disparates, la SF est un genre homogène. Car, après tout, qu'y a-t-il de si fascinant dans ces *fictions* d'explorations spatiales ou temporelles, dans ces anticipations ou ces rencontres imaginaires avec des êtres organisés différemment des espèces terrestres? La SF se distingue par un attrait pour ce qui est *radicalement autre,* sous la forme biologique, écologique ou historique. Machine à évoquer les possibles imaginaires, la SF est dotée par là-même d'un fort potentiel de critique sociale et de remise en question des valeurs canoniques. Cela aussi, n'est-ce pas, suffirait bien à la rendre hautement estimable.

N.B.: Le lecteur trouvera une notice sur chaque auteur-e en fin d'ouvrage.

Le meurtre d'une idée

Alexandre Amprimoz

L e voyageur préférerait ne pas mesurer, ne pas calculer, ne pas penser aux risques impliqués par sa visite clandestine à Z. A. Tod.

«Du passé ténébreux ressort...» Le voyageur ne peut continuer ainsi: il sait qu'il adapte un texte classique. Cet homme se sent parfois légèrement heureux, simplement parce qu'il a acquis le pouvoir d'écrire (de parler, pour être plus précis) à son propre sujet en employant la troisième personne. Mais ce voyageur est-il vraiment un homme? Et, qu'est-ce que ça veut dire, un homme?

Nous appellerons K l'individu en question. Qui, Nous? Sans répondre, le voyageur K n'en maudit pas moins l'espace-temps ainsi que la dimension suivante E_5, le reste étant pour lui trop abstrait.

Mais pouvez-vous définir Z. A. Tod? Est-ce une idée? Une femme? Non, simplement quelque chose de très vague.

K se souvient de l'ère d'avant les désastres. De l'année sabbatique passée calmement à écrire cette interminable étude sur un poète mystique. Vers quatre heures il se levait, quittait son bureau, embrassait sa femme et allait tranquillement attendre ses filles à la sortie de l'école des sœurs.

K, de temps en temps, a le courage d'aller revoir les ruines. Il n'y a que l'empreinte des corps qui est restée sur les murs, un peu comme dans cette ville de Pompéi.

Z. A. Tod est difficile à comprendre, comme le passage d'une dimension à une autre. Ce n'est pas exactement ce que K veut dire, mais il a perdu ce goût pour la précision qu'il avait avant l'ère des désastres. Soit Oméga (ω) le temps qui coïncide avec l'ère des désastres. Oméga? Oui, Oméga comme une paire de fesses ou de seins.

Le voyageur pense à l'étymologie du mot Z. A. Tod et il revoit, l'une après l'autre, les maisons qui abritaient ses rêves avant Oméga. C'est peut-être le mouvement du train qui lui suggère le déménagement perpétuel comme image de la vie.

K regrette le temps où les choses avaient un nom. Il sait aussi qu'il commet un acte révolutionnaire en pensant à Oméga. Plus que toute autre chose, c'est le nom que l'État a supprimé.

C'est ainsi qu'il serait impossible, à strictement parler, pour le voyageur de raconter son histoire. S'il veut s'appeler quelque chose ce sera Z. A. Tod. Ses ennemis s'appellent aussi Z. A. Tod. Quant à la ville vers laquelle il se dirige, c'est bien Z. A. Tod. C'est encore Z. A. Tod que s'appelle la femme avec qui il a couché hier soir.

K lit un vieux livre. C'est un peu embarrassant, surtout dans un train. Il fait figure du paysan avec son panier. Les gens bien, eux, ils vont au Wagon-Restaurant. Lire n'est plus à la mode, on préfère écouter les livres.

Ce livre rare et illustré fut écrit il y a très longtemps. Cela remonte à l'époque d'avant la grande réimpression. Soit Bêta (β) cette époque. Oui bêta comme une paire de fesses ou de seins, oui bêta comme un animal.

La grande réimpression avait été ordonnée de manière à faire croire que tous les livres anciens et modernes furent écrits par Z. A. Tod. Je me souviens. Je me vois recevant un livre en vue d'un compte rendu: À La Recherche du temps perdu par Z. A. Tod. Mais voilà que K ne peut plus se surveiller et il retourne ainsi à l'individualisme de la première personne.

Il faudra que le voyageur se surveille s'il ne veut guère que ses pensées soient captées et punies par Z. A. Tod. K n'est vraiment pas prêt à accomplir sa mission, mais quelqu'un devait bien se charger de cette tâche des plus urgentes. Il murmure. Il se parle comme les vieux: Et dire que les enfants apprennent que tous les livres qui brûlèrent dans la bibliothèque d'Alexandrie avaient été écrits par Z. A. Tod! C'est ainsi que l'on a construit l'histoire: le monde n'a eu qu'un seul écrivain.

Le voyageur remue un peu les lèvres en lisant, il ressemble à un prêtre occupé par son bréviaire. Mais tout le monde sait bien que depuis l'ère β il n'y a plus de prêtre. K reconnaît ainsi une autre de ses mauvaises habitudes pour laquelle il pourrait être sévèrement puni.

Dans le livre illustré il est question d'un homme qui fait subir des humiliations à une femme. Le moment venu, l'homme jette le corps de la femme du haut d'une falaise. Puis il s'assoit au bord du précipice et se met à lire le Livre des Livres. Le voyageur sait très bien qu'il n'arrivera pas à décoder le texte. La mission n'en sera que plus difficile. Mais nous sommes en présence de K, l'homme qui a démontré le théorème de Fermat. Bien entendu cela est gardé secret. Tout le monde sait très bien que le théorème de Fermat (un autre pseudonyme de Z. A. Tod?) a été prouvé par Z. A. Tod. Nous commençons donc à nous habituer, à nous installer dans cette folie.

Le voyageur espère ne pas être reconnu comme le chef clandestin de l'opposition dite réactionnaire. Le vieux parti ne comporte plus que quelques membres. Et dire qu'avant Oméga ils avaient eu du succès surtout dans les grands empires Anglo-Saxons, où on les appelait les 'Neo-Conservatives'.

K secoue les épaules. Il se souvient de cette époque où l'on parlait d'une hypothèse: Dieu aurait bien existé, mais il aurait été créé par l'homme.

«Essayer de goûter l'immense joie des petites choses, comme on savait le faire au bon vieux temps du monde à trois dimensions. Oui, voir une araignée tisser sa toile, un oiseau voler, une femme se faire violer par une bande de fourmiliers à réaction... Mais voilà que ma raison m'abandonne à nouveau», K murmure, et pense à la musique interdite, à un vieux nom, à un nom secret, un signe d'espoir, Vivaldi. Il se souvient d'un monde à quatre saisons. Mais il est inutile d'exister, la crise approche:

«Le train de la lune limace faisait rouler ses fraises dans la coquille de l'éléphant qui battait les téléviseurs à coups de marteau à l'ombre des jeunes filles en sueur.»

Une fois la crise passée, K sait très bien que ces images ne lui appartiennent pas. Cette folie, c'est de l'extérieur qu'on la force dans son cerveau.

Maintenant c'est son estomac qui l'abandonne. Il ne peut plus lire. Pourquoi, avec tous les moyens de locomotion, a-t-on gardé ce vieux train sur la ligne Z. A. Tod — Z. A. Tod? Pourquoi toujours vouloir secouer les voyageurs?

«Je suis faible. Toutes ces années de torture n'ont guère facilité les choses.» Il ferme les yeux et une image ancienne lui sourit. Il voit un enfant dans une vieille ville appelée Roma, une ville qui a été détruite maintes fois. Renaîtra-t-elle jamais de ses cendres? L'autobus s'arrête: Viale Vico. Il tente de descendre mais son pied se coince dans la porte. Sa grand-mère tâche de la libérer de l'emprise des mâchoires de fer. Elle tire, elle crie, elle gesticule: mais derrière sa vitre le chauffeur n'entend rien...

Il ouvre les yeux et retrouve la triste réalité de Z. A. Tod. Il sait qu'il boite un peu. Presque tous les citoyens ont fait un honnête effort pour oublier leur enfance: cela fait partie du programme du nouvel État. Mais K a toujours lutté contre la dictature télépathique de Z. A. Tod. Cela n'a fait que décupler sa force mentale. Au fond il sent que l'État commence à avoir peur de lui. Le voyageur tâche de se distraire. Une mouche monte lentement la vitre du train à la vitesse 'v'. Quelle est l'équation qui régit le mouvement de la mouche par rapport à la terre si la vitesse du train est 'V'? Mais il n'y a pas de mouche sur la fenêtre du train. Ce n'est sans doute qu'une illusion, tout ce qui conduit à Z. A. Tod est absolument propre, stérilisé. Une fois là-bas, K appellera télépathiquement l'armée de mouches géantes que le parti clandestin entraîne depuis quelques années... Ce n'est là, bien sûr, que le plan 1010.

Dans le train il n'y a que des voyageurs heureux. Ils pensent tous avoir eux-mêmes décidé de se payer cette vacance à Z. A. Tod. Le lavage de cerveau les a conduits vers une parfaite illusion de liberté.

K se permet un petit sourire. L'État, pour faire oublier toute idée de révolution, ne fait que parler de l'éternelle involution de Z. A. Tod, du régime qui durera l'espace-temps pour notre race — celle des seigneurs. Et dire que même les vieux Marxistes s'y sont laissés prendre. Il aurait pourtant espéré... Tant pis, contre toute attente la révolution se fera avec une douzaine d'anciens Catholiques. Une douzaine, comme pour réveiller la vérité d'une vieille légende...

«Au début nous avons tout essayé, mais l'involution était trop bien organisée.» Encore cette voix que les spécialistes d'avant Oméga appelaient la voix-off.

Le voyageur ne peut pas toujours penser clairement — son dévouement aux grands principes de la liberté lui a coûté cher!

«Même si votre esprit est fort... les programmes de Z. A. Tod viendront à bout de votre cerveau. Alors pourquoi vous inquiéter? Venez déposer votre capital à la Banque Internationale des Cellules Grises. Chaque mois nous vous enverrons une nouvelle plaque de circuits imprimés. Comme disaient les anciens chauffeurs d'autobus: Leave the thinking to us!»

Encore une réclame de l'involution. Le voyageur a lui-même été tenté plus d'une fois de céder son cerveau à la Banque Internationale des Cellules Grises afin de pouvoir vivre dans la satisfaction totale. Même les douze ont eu leurs moments de faiblesse. Mais cela est bien fini: C'est la lutte finale! K sait de nouveau qu'il cite une vieille chanson. Il se souvient aussi que le slogan des anciens chauffeurs d'autobus a été changé. C'était bien «Leave the driving to us!» qu'ils disaient...

Les chauffeurs d'autobus... Et ils avaient fini par prendre le pouvoir. Il faut dire que l'époque s'y prêtait: savants indifférents, politiciens incapables et citoyens généralement bornés et égoïstes. Tout cela finirait par se savoir. Les douze travaillaient à un grand projet: L'Histoire culturelle des ères Bêta et Oméga. Cela finirait par se publier en 56 volumes.

Ces chauffeurs d'autobus avaient fini par acquérir le pouvoir de leurs ancêtres: les bâtisseurs de cathédrales. Bien entendu, l'interdiction de moyens de locomotion personnels avait joué le rôle de catalyseur dans cette affaire. K se souvient de légendes assez vagues: écologie, manque d'énergie. Enfin, en ce temps-là, il y avait encore des arbres, des fontaines, des fleurs et peut-être même des nymphes.

K se souvient d'un pays où les condamnés à mort devaient payer le prix des balles utilisées pour leur exécution. Souvent les écrivains de l'histoire n'ont pas manqué de nous avertir. Mais nous pensions toujours que l'état de haute surveillance, les tortures, les crimes, les camps de concentration et les gouvernements hypocrites étaient des fléaux qui avaient frappé l'aube de l'humanité seulement. Mais qu'est-ce que ça veut dire, l'aube de l'humanité? Et le mot crime, que veut-il dire pour ceux qui écrivent l'histoire de Z. A. Tod?

K reprend son livre en tâchant de surmonter la nausée provoquée par le mouvement du train. C'est le voyageur même qui remplit les pages blanches de ce livre pourtant rare et ancien. Tout en écrivant, il continue à murmurer:

«Mon estomac doit courir le risque parmi le cocktail de métaphores... La maladie est préférabie à l'ennui... La liberté a creusé des tunnels dans mon cerveau... La nuit je vois les ports de mer comme des crânes ouverts dans leur immensité... Et ce fameux jour qui monta comme une cathédrale dans le poème fugitif de l'univers... Je pris

Lilian par la main, la guidant à travers l'étable... Le labyrinthe où les autobus beuglaient... Mais, dans le cœur
même de ma course, je vis l'entourage angoissé des
cercles... Et elle me montra les églises noyées dans la
rivière orange... Les montagnes commençaient à pourrir
et les rats se chaussaient de bananes... C'est sans doute
Lilian qui s'est chargée de semer la folie dans mon esprit...
Oui, nous étions treize... Un peu comme cette autre
conspiration des treize... et dire que pour servir l'ancienne
légende il y eut un traître parmi nous.»

Le train s'arrête à Z. A. Tod, la dernière gare avant
d'arriver à Z. A. Tod. Le voyageur doit donc sortir à
contrecœur, une dernière fois, la carte de Z. A. Tod, la
ville.

Mais voici qu'une jeune femme lui sourit amicalement
avant de s'asseoir à côté de lui. Elle ressemble à Lilian,
c'est-à-dire à son obsession. On dirait même Lilian, immu-
nisée contre l'espace-temps et E5. Le voyageur reprend:

«Si les hommes étaient des feuilles, les femmes
seraient très belles à soixante ans...»

Mais il ne faut pas se laisser distraire, seule la mission
compte...

Le voyageur, bien entendu, est plutôt vieux, plutôt
gras — enfin il est loin d'être un beau jeune homme. Une
certaine odeur se dégage de son corps. Encore une loi qu'il
ne respecte pas, il se permet de manger de l'ail et des
oignons. K est même le propriétaire de champs clandes-
tins d'ail.

Ainsi la propreté constitue la loi numéro un de l'État.
Les citoyens qui pètent ou qui ont des hémorroïdes sont
isolés dans des camps de concentration spéciaux où on
les réforme.

Le voyageur, pour ne pas être tenté par la jeune
femme, ne peut que s'ensevelir dans les métaphores de sa
lecture:

«Que les temples azur se toisent, que remontent en

vous les histoires anciennes, parmi les outils accablés de tant de bonheur. Le pivert, sans vergogne, n'y va pas de main morte, comme une secrétaire pleine encore du jus de ses tendres années. Mais voici l'autobus criminel qui s'avance avec ces grands yeux affamés...»

«Que lisez-vous Monsieur?»

K se méfie. Elle a bien dit «Monsieur» et non Z. A. Tod. Ne pas respecter une loi, c'est bien là le début de la complicité. Le voyageur continue à s'immerger dans sa composition-exécution:

«Une fois assis parmi les angéliques docteurs, le voyageur se rend compte qu'il y a un autre voyageur au sein de son existence et ainsi de suite...»

«Que lisez-vous?» Cette fois-ci elle a élevé un peu la voix.

«Oh, rien, simplement des notes...»

K sourit poliment et range son livre.

«Partez-vous en vacances? Allez-vous aussi à Z. A. Tod?»

Elle secoue la tête pour laisser ondoyer ses cheveux. K remarque qu'elle a même les manières de Lilian. Il se souvient de cette façon de poser des questions. L'amplitude du mouvement des cheveux est d'habitude directement proportionnelle à l'importance de la question.

Mais le voyageur se souvient qu'il vaut mieux se garder de décrire. La description est un luxe et tous les luxes finissent par acquérir le goût du poison.

«Allez-vous à Z. A. Tod?»

Le voyageur a oublié l'importance de cette convention: si vous faites répéter à une femme sa question, cela est un signe que vous la désirez. Avant l'ère Oméga tout était bien plus simple.

«Oui, même que je me suis procuré une carte...»

«Voyons, à quel hôtel allons-nous descendre?»

«Mais...»

«Oh, vous êtes si timide, mais vous connaissez la

convention numéro sept aussi bien que moi!»

«Il faut donc que je me présente. Je m'appelle Z. A. Tod.»

«Enchantée, et moi de même, je m'appelle Z. A. Tod.»

«Quel était votre numéro sous le régime binaire?»

Le voyageur espère ainsi se renseigner au sujet de la belle inconnue.

«Voyons, ne commençons pas par ne pas respecter la convention numéro un.»

Le voyageur se rend compte qu'au fond cette femme obéit au système. Il faudra donc qu'il joue serré.

K offre la carte de Z. A. Tod à Lilian. Autant appeler la belle inconnue Lilian, puisqu'elle ressemble au premier amour du voyageur. La femme peut ainsi choisir un hôtel:

«Je ne sais pas, peut-être l'Hôtel Z. A. Tod... oui, l'Hôtel Z. A. Tod, pourquoi pas?»

C'est la voix de Lilian qui fait écho en K avec des images de l'avant-Oméga.

L'artiste a composé trois tableaux. La Rochelle: Un groupe indéfinissable mais charmant se laisse prendre en photo autour d'un pendu. Toronto: Un professeur de la faculté de mathématiques commence sa leçon en souriant: ses habits sont pourtant couverts de sang. Montréal: La mère supérieure fait claquer le fouet de la jeune novice attachée à une colonne du cloître.

Le nom de cet artiste pourrait très bien être K. Alors pourquoi ne pas admettre cette hypothèse. K écrirait ainsi son histoire: C'était à A. Z. Tod (mais il aurait pu dire Z. A. Tod) au temps de l'Oméga, dans le jardin des oliviers. Ces trois tableaux représentent donc des scènes vécues ou imaginées avant le grand désastre. La Rochelle, Toronto et Montréal n'existent pas. Ce sont des villes mythiques qui peuvent très bien servir de titres à des œuvres d'art. On aurait pu dire: Arbre, Fontaine et Rossignol — des mots qui n'ont plus que des sens rares aujourd'hui.

Mais enfin ce ne sont là que des reproductions, des images, des illustrations dans le livre de K.

C'est peut-être une certaine Lilian — accompagnant de nouveau le voyageur K dans sa mission, toujours manquée, toujours à recommencer — qui feuillette l'étrange volume.

Lire produit un effet étrange pour celui qui en a perdu l'habitude. Il est tout bêtement question d'une fin de monde dans le livre de K.

Au moment Oméga la Terre tourne encore, mais elle ralentit. Elle commence à se flétrir comme une pomme oubliée. On dit que le soleil est pâle et la lune presque éteinte.

Mais c'est à La Rochelle, vers l'image du pendu, que l'esprit de Lilian ne cesse de revenir. Elle croit se souvenir qu'à cette époque du pré-Oméga K n'avait que seize ans. Lilian était alors pour lui la fille de la voisine, de deux ans son aînée. Elle revoit les deux grandes maisons, non loin du bord de mer, séparées par un immense jardin. Elle se revoit appuyée au grillage partageant le jardin en deux rectangles égaux. Elle est presque essoufflée et c'est avec K qu'elle fait la véritable découverte de la symphonie de la chair. Et, maintenant, elle regarde ce voyageur indolent qui refuse de renaître à l'amour. Lilian pose son regard sur la première illustration.

L'artiste a peint cela comme jadis l'on dessinait les affiches pour attirer la clientèle des cinémas de quartier. Les couleurs sont criardes, ou du moins vraiment trop vives, les acteurs sont reconnaissables mais figés dans des expressions excessivement théâtrales. C'est en caractères gothiques que le bas de l'affiche se présente à l'œil, rouge vif sur fond noir: LA ROCHELLE. Plus haut le visage du pendu exprime une angoisse infinie. Sa chemise et son pantalon sont partiellement déboutonnés. C'est un homme maigre, presque chauve. On pourrait lui donner la soixantaine et l'appeler Pierre. Il faut être ainsi un anarchiste pour avoir le courage de nommer les choses. C'est que l'État a repoussé dans le monde de la marginalité tous les artistes. C'est l'idée même de Tod. Lilian commence à comprendre que sans individualisme les fables sont impossibles. Il est certain — et l'État insiste là-dessus — que les fables sont souvent néfastes pour l'ordre établi. Mais l'homme est libre. C'est pour cette liberté, ce choix du poison, que le voyageur est prêt à recommencer sa mort, sans jamais tout de même l'achever. Lilian comprend, mais ses yeux sont de nouveau attirés par LA ROCHELLE.

Six personnages autour du pendu semblent fêter le suicide de Pierre. Mais il faudrait être certain. On peut admettre le suicide quitte à rectifier plus tard en utilisant ce fameux calcul des erreurs. Peut-être aussi que c'est télépathiquement que le voyageur, feignant sans doute l'indolence, impose ses pensées, ses images, ses idées-force à Lilian.

À gauche du pendu il y a deux couples. Tout près de Pierre les têtes de deux adolescents lui arrivent à la hauteur des genoux. Les deux garçons se tiennent par la taille, ne laissant aucun doute dans l'esprit de l'éventuel spectateur sur la nature de leur relation. Des deux garçons, c'est celui qui est le plus près du pendu qui a l'air le plus efféminé. C'est un rouquin et l'artiste lui a même peint les ongles. Lilian remarque ce manque de goût et on la voit faire une moue, regarder le paysage pour enfin revenir au livre. Le voyageur K dort, ou feint peut-être de dormir. Une voix indéfinissable murmure:

«C'est au fond une œuvre plutôt incomplète, ce qui n'est pas rare. Puisqu'il n'y a plus de qualité artisanale, autant se défaire de l'individualisme.»

Le voyageur reconnaît la voix de l'État qui intervient chaque fois qu'il se sent menacé. Mais qui est l'État? Le voyageur sait que ce sont les hommes, et non l'État, qui l'ont torturé.

Comme pour couper le fil de la commune rêverie, K répond:

«Va pour l'Hôtel Z. A. Tod!»

Z. A. Tod est une ville carrée qui a été découpée avec précision. Le côté nord est prolongé par la Mer des Glaces et au-delà du sud s'étend le Désert de Poussière d'Or. En songeant aux atrocités qui ont lieu dans ces deux immenses espaces, le voyageur est secoué par un frisson. Le train arrive de l'ouest. Il traverse maintenant le Lac des Flammes, tout ce qu'il y a de plus spectaculaire. Naturellement, seul un train d'amiante peut traverser cet incroyable paysage. Et ce pont, construit à ras des flots, comment fait-il pour ne pas s'écrouler? K songe que l'est de la ville est limité par la Mer des Acides. Ainsi Z. A. Tod est une ville d'où l'on ne peut guère s'échapper.

La longue et délicate main de Lilian commence à lui caresser le genou.

«Ça peut attendre, murmure le voyageur, car nous n'avons pas encore traversé les flammes.»

Pendant que K étudie la carte de Z. A. Tod, Lilian, pour se donner une contenance, reprend le livre.

«Vous permettez que...»

«Bien entendu.»

«Vos histoires ne me sont pas tout à fait inconnues.»

Les deux rues principales qui se coupent à angle droit partagent Z. A. Tod en quatre sections, quatre carrés identiques. La rue suivant la direction est-ouest est simplement appelée H. Tod: celle suivant la direction nord-sud, V. Tod.

K songe à sa mission. Il voit déjà son article anonyme dans le journal clandestin Iks Igrek: «Ce qui se passe dans le Désert d'Or et sur la Mer des Glaces.»

«Voilà, j'ai trouvé» dit le voyageur à Lilian. «L'Hôtel Z. A. Tod se trouve au point (h + 7, v - 7). C'est bien cela que vous vouliez...»

«Parfait!» affirme Lilian.

Elle le regarde tout en tâchant de lui sourire:

«Vous écrivez des choses bizarres. Rares seront ceux qui vous comprendront.»

«Merci.»

Enfin K est arrivé à Z. A. Tod, la ville du repos éternel, selon l'État. Lilian s'attache au voyageur. Cette ville est faite d'une éternité de petits carrés. Quand un voyageur va à Z. A. Tod, il trouve toujours, comme par miracle, une Lilian qui décide de l'accompagner.

Sur la plage déserte, le crépuscule est au rendez-vous mais le vent de Z. A. Tod a été trop paresseux pour se lever. Il y a un commencement et une fin pour tout voyageur.

K a tout de même remarqué, vers le nord, un homme qui a l'air de faire l'amour avec le sable. Le voyageur se frotte les yeux et se dit: «Cela n'est pas possible!»

K remarque que l'homme a la couleur du sable. Lilian dort. Elle aussi, elle semble jouir de la présence du sable, mais avec plus de discrétion.

Le voyageur se lève et commence à marcher vers l'inconnu. Il marche de plus en plus vite. Le voilà qui court au bord de l'eau.

Debout derrière l'homme de sable, le voyageur retient sa respiration. Il ne sait pas si l'être qu'il contemple est simplement un homme couvert de sable. Il pourrait bien s'agir de l'une de ces créatures mythiques, de ces monstres créés par l'ère Oméga.

Mais voilà que K se rend compte que l'homme de sable est un sculpteur et le voyageur reconnaît ses statues.

«Pardon, mais ce sont là les statues de Michel-Ange... Pardon, je voulais dire les statues de Z. A. Tod.»

L'homme de sable se lève. Il a l'air plutôt normal, mais il est loin d'être beau:

«Non capisco.»

Le voyageur et le Grand Maître s'assoient sur le sable

et entament une longue conversation. K tâche d'expliquer l'agonie de cette nouvelle société, les crimes de Z. A. Tod. L'homme de sable écoute mais la marée monte avec l'obscurité. Michel-Ange s'effrite, se dissout.

Lentement K revient vers Lilian. Comment détruire Z. A. Tod et rester en vie?

Ainsi Z. A. Tod est la ville du suicide. On n'oblige personne, c'est du moins ce que chaque voyageur est obligé de croire. C'est librement et avec bonheur que s'effectuent ici les suicides volontaires. Voilà sans doute la plus grande découverte de l'État!

Z. A. Tod est une ville très propre. Les rues sont souvent de véritables miroirs. Cela fait sourire K qui fut élevé dans un vieux pays où se laver était moins important que penser.

Le voyageur K a convaincu Lilian de l'aider. Il pense maintenant qu'il vient de commettre une erreur. Du succès de sa mission finale dépend le futur de l'humanité. C'est du moins là la croyance de tout révolutionnaire, tout terroriste. K s'inquiète: Il a vu Lilian embrasser d'autres voyageurs.

Mais voilà que K et Lilian sont appelés à la Maison des Tests. Pour les technocrates un Test n'est qu'une interrogation — plat qui est toujours garni de tortures.

K trouve sa force avec chaque pas: Z. A. Tod doit mourir; oui l'idée même de Z. A. Tod doit mourir...

Le fantôme du Forum

Jean-Pierre April

«Aujourd'hui, c'est Guy Lafleur que je surnomme le démon blond. À chacune de ses présences sur la glace, ne donne-t-il pas libre cours à notre imagination? Chacune de ses montées nous fait frémir. On dirait un Samson des temps modernes. Sa blonde chevelure semble si bien le servir à chacune de ses attaques, et l'adversaire en est affecté à cause de la turbulence supersonique comme dans un épisode de science-fiction.»
Léo Leblanc, *Montréal-Matin* (La colonne des lecteurs du 25 avril 1977)

En poussant à distance la porte de La Taverne, Gasse se sentait ivre de puissance. Il avait bien raison: même s'il branlait comme un gros bambin tapageur, il parvenait à se frayer un chemin à travers la foule mouvementée du Samedi Soir; il n'avait qu'à fixer les passants, qui coulaient alors en périphérie de sa vision. Il progressait obliquement, comme une barque abandonnée dans les cascades, tassant d'une taloche téléclikétique les carnavaleux qui l'approchaient un peu trop, tordant au besoin l'angle prononcé d'un magasin.

C'était le Carnaval à Montréal, le perpétuel festival commercial et ses centaines de Salons, Expositions et Exhibitions. Sur la Sainte-Catherine, le Samedi Soir était Spécial... Pour saisir toute l'intensité de la Fête, il fallait sauter dans la formidable vague de fond qui entraînait les supporteurs du Canadien entre les magasins illuminés, de l'Hôpital de l'Est jusqu'au Forum, et se laisser porter par les corps houleux des partisans qui buvaient fièrement dans la rue, entonnant un hymne à Guy Lafleur, celui qui élevait l'âme d'un peuple au Panthéon de la Puissance.

Ce Samedi Soir-là ne pouvait être qu'un Samedi Soir Spécial: c'était le dernier Samedi Soir de la Super Série du Siècle! La Fête s'achevait avec ce match où l'équipe des clones de Guy Lafleur devait vaincre les Robots Russes pour remporter le trophée de la meilleure équipe de l'Histoire du Hockey... aussi Gasse était-il *spécialement soûl,* secoué de plaisir par son excès de puissance.

Il aurait aimé partager sa victoire par anticipation avec les jolies carnavaleuses qui se dirigeaient vers le Forum en dansant et tournoyant, il avait le goût de se perdre dans la super-vente qui battait son plein dans les grands magasins, mais il était pourvu d'un pouvoir qui l'obligeait à prendre ses responsabilités; non, ce n'était pas par plaisir que Gasse Ratté se soûlait tous les soirs où le Canadien exaltait l'assistance, c'était par devoir, par respect pour l'âme de Guy Lafleur.

C'est ainsi que, en ce dernier week-end du deuxième millénaire, Gaston Ratté délirait en dérivant vers le Forum. Il marmonnait des formules obscures, comme un musulman en marche vers La Mecque, et des passants s'arrêtaient parfois pour jeter un coup d'œil compatissant à ce vieux vagabond tout raidi par le froid et qui toussait bizarrement, en semblant déplacer les gens devant lui. Certains s'arrêtaient un instant pour le plaindre; d'autres, des garnements aussi agaçants que des chiots faméliques, le harcelaient par derrière, grouillant comme des petits diables cyniques, sans se douter qu'ils s'en prenaient au tout-puissant Gaston Ratté, le Sauveur des Canadiens.

— Ôtez-vous! criait-il quand un poltron s'interposait entre lui et le Forum. Sinon il l'ôtait lui-même en le renversant d'un regard mauvais.

Alors certaines voix ricaneuses s'élevaient dans son dos, laissant entendre que son pouvoir, il le tenait de son haleine de bière. Des entités envieuses! se disait-il sans arriver à déplacer leurs voix grinçantes. Elles ne lui faisaient même pas peur, bien sûr, mais il en souffrait secrètement. Il n'avait plus qu'à chanter à tue-tête avec la foule buveuse de bière, tâchant d'enterrer les reproches qui montaient quand venait le moment d'utiliser son *plein pouvoir.*

Dans sa tête, la chanson à boire qu'il beuglait avec les carnavaleux de la Sainte-Catherine prenait l'allure d'un gros rock épique, d'un vaste opéra populaire, d'un hymne à la bière nationale, à la mesure de sa puissance téléclikétique.

Ça ne pouvait pas durer; il y avait trop d'énergie emmagasinée dans ce vieux robineux, trop de petites défaites accumulées dans les coins du quotidien, trop d'amertume qui chauffait sa boule de puissance; son estomac se nouait sous l'action alchimique qui transmuait sa misère en puissance.

Un robot-policier ne put que remarquer la foudre qui habitait cet alcoolique transfiguré; il se mit à sa poursuite en l'interpellant de sa voix métallique: — Arrêtez, Monsieur, sinon je devrai vous figer.

Et il pointa son arme en direction du curieux ivrogne qui semblait ricaner sous le revers relevé de sa canadienne trouée. Gaston sentit l'onde mortelle qui le menaçait; il se retourna vivement pour déplacer le policier, trop tard: il avait déjà tiré! Gasse eut tout juste le temps de faire dévier le rayon. Mais il ne vit pas le magasin derrière lui.

Un magasin hypocrite, tapi derrière ses vitrines illuminées et ses mannequins disposés dans une mise en scène irréelle, un magasin affamé qui profita de ce moment de distraction pour fondre sur lui et l'aplatir dans la rue.

Ce fut au bout de sa dix-douzième bière que Gaston Ratté sentit monter son pouvoir en un grand frisson bienfaisant qui lui parcourait l'échine, pendant que le cœur lui palpitait comme un poisson dans la poitrine. Il craignait de défaillir quand la puissance s'accumulait ainsi en lui, pauvre pile survoltée, et il devait serrer les dents pour retenir toute cette énergie qu'il captait comme une antenne vibrante.

Pourquoi lui? Gasse, Gastoune, ou le Rat d'Aréna — comme on l'appelait selon l'antipathie qu'il inspirait. Comment ce pilier de taverne devenait-il tout à coup une sorte de Monsieur Énergie qui pouvait bousculer les choses tout autour de lui? Il n'osait pas y penser, d'autant plus que le phénomène, se manifestant quand la bière lui faisait oublier sa condition, échappait à toute investigation de sa part. Puissant, mais prudent, Gaston craignait également de comprendre cette faculté, de la perdre en voulant l'exploiter. Et peut-être, secrètement, les voix persifleuses l'avaient-elles convaincu que son talent était une aberration ou, pire encore, une illusion...

La vérité lui fut partiellement révélée en pleine ivresse. Un soir où il persistait à suivre une émission à La Taverne — talk-show caquetant au fond du brouhaha — il avait cru entendre un professeur qui parlait d'un pouvoir comme le sien: le pouvoir «télénickelique» ou «télépikétique», il ne parvenait pas à saisir les syllabes qui semblaient différentes chaque fois qu'il entendait le mot savant. Il opta finalement pour «télécликétique», croyant doter son pouvoir d'une tournure très ratoureuse — pouvoir, affirmait le vénérable professeur, qui permet de déplacer les objets par la pensée. Ou par l'absence de pensée, corrigea Gaston par la suite.

Toujours est-il qu'en ce Samedi Soir différent de tant d'autres, Gaston Ratté était soûl et plein de puissance. Quoique blême et morose, il rayonnait comme un pauvre mortel soudain illuminé par une grâce surnaturelle, souriant à l'idée de renverser tous les verres de La Taverne. Ce qu'il fit. Non sans s'être levé soudainement, devançant à peine tous les autres clients. Il était le seul à avoir les genoux secs.

Gaston éprouva quelque difficulté à garder l'équilibre, comme si l'excès de puissance voulait le lancer partout à la fois. Il se souvenait d'une fois, au début, où l'énergie avait réussi à propulser ses pensées tous azimuts. Tous ceux qui l'approchaient se mettaient à parler comme lui! Mais ce Samedi Soir-là, Gaston Ratté savait qu'il pouvait diriger son rayon énergétique aussi sûrement qu'un lancer de Guy Lafleur. D'ailleurs, n'avait-il pas fait ses preuves en faisant gagner toutes ces coupes Stanley aux Canadiens?

Tout clones du vrai Guy Lafleur qu'ils étaient, les joueurs du tricolore ne parvenaient pas toujours à s'imposer; dans leurs tournées à l'étranger, il arrivait souvent que des clubs d'obscurs mercenaires leur donnent du fil à retordre. Mais à Montréal, au milieu des partisans, les Canadiens n'avaient jamais perdu depuis que Gaston Ratté s'en occupait personnellement. Parfois il avait dû modifier des trajectoires d'une façon invraisemblable pour faire pénétrer la rondelle dans le filet de l'ennemi. Ces fameux buts «mathématiquement improbables» — comme disait Monsieur Kenneville, toujours fin diplomate — avaient contribué à faire naître la légende selon laquelle un génie bienfaisant inspirait les Lafleur quand ils jouaient parmi les leurs. Gaston en était flatté.

Gaston Ratté ne s'était pas douté un instant qu'un magasin s'était précipité sur lui. N'ayant pas eu le temps de déployer tout à fait son champ de force téléclikétique, il avait été écrasé sous les mannequins et les piles de stock confus et coloré. Quand on l'avait découvert, il n'était plus qu'un pantin délirant, qu'on avait aussitôt transporté à l'Hôpital de l'Est. Il n'y avait plus beaucoup d'avenir pour Gaston Ratté; tout inconscient qu'il était, il sentait que la partie se jouerait sans lui, et il essayait de s'accrocher à ses ultimes souvenirs de puissance.

Gasse revenait à ce jour tant aimé où il avait découvert son talent, à dix-huit ans, après une déception amoureuse, cela va de soi. Gisèle Voyer venait de casser avec lui, elle l'avait laissé tomber en plein hiver pour se suspendre au cou de ce vulgaire *Tom-boy,* Robert «Bob» Pratte, le nouveau champion de la saison. «Ce maudit Pratte avait invité Gisèle à danser pendant que j'allais chercher de la bière au bar, dans le fond du gymnase qu'on avait déguisé en discothèque pour le Samedi Soir, après le match. Et il l'a gardée pour le *slow* suivant. Déjà on ricanait dans mon dos, mais je ne m'en faisais pas; j'étais sûr de bien posséder ma Gisèle, et ce gros lourdaud dansait comme il patinait. Mais il dansait trop collé à mon goût. Alors, comme le *slow* se faisait long, j'ai bu toute ma bière en le regardant patiner du coin de l'œil. À la fin de la danse, comme j'allais reprendre ma Gisèle, il l'a entraînée devant l'orchestre, puis il a fait un petit signe amical aux gars de *La Machine à Musique* qui ont entamé un autre *slow,* qui figea mon élan.»

Alors Gasse avait sifflé la bière de Gisèle pour se donner du courage. Puis, légèrement étourdi, le pas pesant et mal assuré, il s'était dirigé vaguement vers Bob Pratte qui enlaçait sa Gisèle avec ses bras d'ours. Il accrochait les couples qui dansaient, semait le désordre derrière lui, attirant l'attention des autres couples choqués de son inconduite. Pratte le vit venir en zigzaguant; il l'attendait de pied ferme, avec un large sourire qui lui fendait la face.

La Machine à Musique s'était tue; puis les couples s'étaient amassés autour du Champion et du Commentateur sportif. Les gars serraient les dents et les poings, tandis que les filles légèrement en retrait, à la fois horrifiées et excitées, évaluaient les rivaux à voix basse.

— Il paraît que c'est Bob qui cherche le trouble, lança la belle Carolle Lauzoin en se tortillant le bec graissé de rouge à lèvres.

— Bien sûr! Il pouvait pas digérer ce que Gastoune a dit de lui sur les ondes de CKLA! ajouta une grassette à lunettes qui semblait en savoir tout un bout sur les rivalités masculines.

— Quoi! s'exclama une grande blonde pâle et sûrement romantique, tu veux dire que Bob joue la comédie à Gisèle expressément pour narguer Gasse? Oh, c'est trop cruel pour Gisèle!

Et ça s'annonçait mal également pour Gaston. Le combat inévitable qui se préparait prenait l'apparence d'un destin implacable dont Gaston serait bientôt la victime; la souricière était si évidente que certains supporteurs sportifs s'esclaffaient ici et là, et les échos de leurs ricanements semblaient se multiplier dans les hauteurs du gymnase.

Gaston Ratté marchait à l'abattoir, mais il ne s'en rendait pas compte du tout. La bière avait déclenché un autre mécanisme inéluctable, une haine sourde qui jaillit en ces instants où tout semble perdu, un désir de vengeance si aveugle qu'il décuplait ses forces réelles.

Robert «Bob» Pratte n'avait même pas eu le temps de se mettre en garde; un solide direct l'avait envoyé au plancher, où il était demeuré, gisant parmi les lignes pointillées et colorées qui dessinaient des signes occultes sur le carrelage du gymnase.

Les prétendus Supporteurs Sportifs se regardaient sans bouger, incapables de réagir, sidérés par le curieux coup de poing de Gastoune: les fragiles jointures lui étaient passées loin du nez, et pourtant Bob avait été renversé, un filet de sang lui pissant du nez.

— Arrêtez-le! hurla la grassette à lunettes, celle qui dirigeait le fan-club des joueurs de football.

Gastoune se retourna en la figeant d'un méchant

regard. Aussitôt se produisit un événement bizarre que personne ne comprit et qu'on essaya de taire par la suite: la robe de la grassette s'envola d'elle-même et resta suspendue aux poutrelles métalliques du gymnase. La grassette croisa les bras sur son soutien-gorge et disparut derrière les vestiaires. Les joueurs de football auraient aimé pouvoir en faire autant; ils se déplaçaient gauchement autour de Gasse, en prenant bien soin de ne pas l'approcher, essayant de ne pas le déranger pendant qu'il regardait Gisèle en la toisant.

Gisèle eut peur; elle fit un pas de côté, comme un pas de cha-cha, et son soulier à talon haut faillit glisser sur le sang de Pratte; profondément déséquilibrée, elle porta une main incertaine à sa figure pâlissante, mais elle ne pouvait pas arrêter les couples aériens qu'elle voyait tourbillonner autour d'elle. Alors elle se laissa choir sur Bob en larmoyant, le priant de se relever.

Gastoune hésita un instant; puis, levant les yeux, il parut apercevoir pour la première fois les joueurs de football qui se dandinaient devant les filles effarouchées. Pressé d'en finir, il tendit une main tremblante vers Gisèle — sa Gisèle? — mais elle se retourna en crachant toute sa haine:

— Va-t'en, maudit Rat d'Aréna! Tu n'as jamais su m'aimer! Je venais tout juste de rencontrer un gars correct, un vrai, et déjà il fallait que tu cherches à tout gâcher!

Le Rat d'Aréna, le surnom lui resta. Et comme il devait faire une carrière dans le reportage sportif, le titre lui avait conféré un certain prestige; l'anecdote qui en était l'origine lui valait le respect de tous les joueurs de hockey. Surtout quand on savait ce qui était arrivé par la suite.

Il se mit à boire sérieusement. Après l'affront de Gisèle, il avait traversé la ligne de mêlée pour se rendre droit au bar et siffler tous les verres abandonnés. Puis il était sorti dans la tempête. Et il avait passé la nuit dans les bars, et toute la journée suivante; s'arrêtant à peine de boire pour se présenter à l'Aréna, il était entré à quatre pattes dans la cabine vitrée de CKLA où il devait décrire le prochain match de Robert «Bob» Pratte. Si toutefois il parvenait à le reconnaître.

Quand le champion sauta sur la glace, Gaston le repéra immédiatement. Il se sentit écrasé par les hurlements de la foule qui manifestait son enthousiasme pour son héros. Pendant toute la journée il avait entendu la radio dans les bars; on avait annoncé que même si Bob Pratte avait été assailli par un maniaque, il reviendrait au jeu.

— C'est ce qu'on verra! avait laissé échapper Gasse dans le micro, lorsqu'il avait aperçu Gisèle qui applaudissait comme une sotte derrière le banc des champions.

Avant de relater les exploits de Pratte, Gaston jeta le Pepsi de son verre ciré, le remplit de gin pur et en but la moitié d'un trait. Quand le champion s'empara de la rondelle, Gasse en perdit la voix, et Pratte parut hésiter; abandonnant la rondelle dans sa zone, il la livra à l'adversaire, qui compta!

Aussi ravi que surpris, Ratté s'apprêtait à le ridiculiser sur les ondes, mais son co-commentateur interpréta sans tarder la réaction de l'assistance. Tout fut mis sur le dos de ce mystérieux maniaque qui avait sonné Bob pendant la soirée précédente. Alors Gaston n'insista pas, d'autant plus qu'il avait cru remarquer une fort curieuse coïncidence: à l'instant où il était resté muet, le champion avait perdu la rondelle...

Quand le beau Bob revint au jeu, un peu moins soutenu par les applaudissements, Gaston fit une erreur volontaire en décrivant le match, et il faillit crier de joie en voyant que Bob se conformait à ses paroles! Continuant sur son élan, Gasse improvisa un petit jeu qui devait surprendre Bob lui-même:

— Dès la mise au jeu, Robert «Bob» Pratte s'empare

de la rondelle... il s'avance bien, et s'apprête à passer à Jean-Yves Mercier qui se dégage à droite, mais voilà que Gilles Lagacé s'interpose. Pratte tricote un instant, et, oh! il pivote brusquement pour foncer vers son gardien! Il déjoue facilement son coéquipier à la défense, prend de la vitesse, lance... et compte!... dans son propre filet.

Et comme si Gaston n'avait pas trouvé à satisfaire sa haine, il propulsa Bob contre le gardien, pour l'assommer finalement sur le bord du but.

Gaston ne connaissait pas sa force prodigieuse, et il regrettait d'y être allé si durement, pour une première fois. Il dut attendre un mois avant que Bob revienne au jeu, une fois que le médecin et le psychiatre eurent certifié que ses troubles étaient passés. Gaston avait attendu ce moment depuis trop longtemps; il avait commencé à boire tôt dans la journée où il dut décrire ce qui fut le dernier match de Robert «Bob» Pratte.

Ce pouvoir dépassait la méchanceté réelle de Gaston: jamais il n'avait pensé estropier Bob pour la vie, et il regretta amèrement son acte. Pour se faire pardonner des partisans du hockey, il jura de consacrer son talent téléclikétique à la cause du Canadien.

G aston Ratté ne put jamais accepter qu'un magasin l'eût sauvagement écrasé — et d'ailleurs qui aurait bien pu croire à cette histoire? Le pauvre robineux se réveilla en délirant à l'Hôpital de l'Est, éberlué, mais certain que des esprits malfaisants l'avaient empêché de gagner le Forum.

Rien qu'à l'idée qu'il se trouvait à l'Hôpital de l'Est, ce haut lieu de la Mort Minable, il se sentait malade. Dès qu'il le put — il faisait semblant de rien, mais il avait hâte de couvrir les voix qui persiflaient sous le lit — il alluma son téléviseur et s'aperçut que la partie n'était pas finie; il se sentit un peu mieux. Le temps de constater que Canadien perdait en troisième période.

Et lui, le Sauveur des Canadiens, il était hospitalisé à l'autre extrémité de La Catherine, à moitié mourant et complètement dégrisé, abandonné de son pouvoir pendant que Canadien subissait l'humiliation!

Alors Gasse voulut se lever pour tenter l'impossible, mais il était sanglé sur son matelas — comme un fou! pensa-t-il dans un instant de frousse — et il lui était absolument impossible de quérir la moindre goutte d'alcool. Il n'avait de toute évidence aucune chance de réussir quoi que ce soit, il ne savait pas lui-même ce qu'il tentait en hurlant comme un mourant, jusqu'à ce qu'une infirmière se rue dans sa chambre.

— Vos plaies vous font souffrir, Monsieur Ratté? demanda-t-elle en lisant son nom sur son bracelet de plastique. Puis elle examina machinalement ses bandages.

— Oui, ce sont ces courroies qui me brûlent...

— Je vois, dit-elle comme si elle n'avait pas entendu... mais on m'a demandé de vous garder bien attaché, Monsieur Ratté; il paraît que vous vous êtes attaqué à un magasin?

— C'est lui qui m'a pris par derrière!

— En tout cas, il y a des policiers à toutes les sorties de l'étage.

Pour une raison que Ratté ne chercha pas à approfondir, elle en paraissait toute fière. Il ne pensa qu'à utiliser la situation:

— Alors vous pouvez bien me détacher un peu, au moins pour badigeonner les plaies laissées par les sangles. Craignez-vous que je vous «assaille sexuellement»?

Il fit une vilaine grimace de maniaque et la jeune infirmière retint son sourire en défaisant ses liens. Ratté lui aurait demandé carrément de lui servir un verre qu'il n'aurait pas été mieux choyé. Pendant qu'elle se penchait sur lui, il laissa passer quelques délicieuses secondes pour contempler à loisir la courbe de ses reins, puis il se décida, lui arrachant la bouteille des mains et lui tordant le poignet. En reprenant son souffle, il lui fit comprendre qu'elle devait détacher les courroies qui immobilisaient encore ses pieds.

Quand ce fut fini, il lui attacha les poignets en l'allongeant à sa place sur le lit. Le cœur lui battait follement et des coups sourds lui résonnaient dans la tête. Il s'arrêta un instant pour contenir l'affolement stupide qui le faisait trembler, dominant la fièvre qui le guettait. Puis il chercha autour de lui et reprit la bouteille de l'infirmière. Il parcourut rapidement les indications, mais l'infirmière se rendit compte qu'il ne parvenait pas à lire. Avec suspicion, il s'approcha la bouteille du nez, la huma longuement, perplexe, pour afficher finalement un grand sourire. Alors il versa le liquide dans le reste de son jus d'orange et leva son verre à la santé de l'infirmière.

Après le troisième verre, il parut ébranlé; le médicament était vraiment plus puissant qu'il ne le pensait. Il resta abasourdi devant son lit, comme fasciné par l'infirmière étendue sur le ventre, ses jambes délicates émergeant de la corolle blanche de son uniforme relevé. Ses yeux exorbités suivaient distraitement ses boucles blondes étalées sur les draps froissés, descendant vers ses reins arqués par la sangle, devinant les courbes du corps sous le tissu luisant...

Soudain la clameur télévisée le ramena à la réalité: dominant le tumulte, la voix flanchante de Kenneville annonça à contrecœur un autre but pour les Robots Russes.

Gaston vida la bouteille comme un automate. Il ne savait pas ce qu'il pourrait faire de son pouvoir, mais il comptait bien sur le médicament pour lui éclaircir les idées. Ce produit équivalait à tout ce qu'il pouvait boire pendant cent Samedis Soirs.

Il sentait qu'il aurait pu détruire complètement l'Hôpital de l'Est s'il l'avait voulu, et il en avait vraiment envie. Mais à quoi cela l'avancerait-il? jugea-t-il à temps. Puis il jeta un regard courroucé vers la télé, voyant qu'il ne restait que trois minutes de jeu. Éperdu, il se concentra sur les Soviétiques qui patinaient partout sur l'écran. Il tenta de les déplacer avec son pouvoir téléclikétique, mais il ne parvint qu'à pulvériser l'écran. L'infirmière, horrifiée, se mit à hurler.

Que faire? Il ne pouvait déplacer que ce qu'il voyait. Et sa vue était moyenne. Le Forum se trouvait à l'autre extrémité de La Catherine, noyé dans le smog étincelant du Samedi Soir.

C'est alors que Gaston pensa à se déplacer lui-même!

Quand les policiers se précipitèrent dans la chambre, ils ne virent que l'infirmière ligotée qui hurlait. Premières constatations: Ratté avait disparu, le téléviseur flambait et l'infirmière faisait une crise de nerfs. Mais non, ce n'était pas pour avoir été violentée, ont assuré les experts.

Sur la Catherine, le Carnaval tournait mal, menaçant de dégénérer en émeute. La rumeur de la défaite imminente se répandit dans les bars, les tabagies, les salons, les magasins de nuit, les couloirs du métro, et une foule hystérique commença d'affluer vers le Forum.

Gaston Ratté était de la partie. Il avait moins de trois minutes pour battre les Robots Russes.

Il en perdit une à remonter La Catherine qu'il parcourut à dix mètres au-dessus de la foule tumultueuse. Il voyait grouiller les supporteurs dans une colonne de fourmis colériques qui revenaient protéger leur nid, milliers de défenseurs inutiles courant à leur perte. Des braillards lançaient des slogans qui accusaient les Robots d'avoir employé une technologie illégale. Des sportifs aux gros biceps menaçaient de s'en prendre à ces maudits Robots, sans doute dopés. Des partisans aveuglés par la peur de perdre accusaient tout le monde d'avoir affaibli les facultés de leurs Guy Lafleur. Et Gasse volait au-dessus de ce torrent de révolte, soutenu par la seule force de sa foi en ses pouvoirs télécliketiques. Les bras en croix, sa jaquette blanche claquant sec dans l'air vif, il sifflait dans la buée de lumières qui montait des magasins et colorait les plis du smog massé dans la nuit froide de Montréal.

Tel un ange aérien de Chagall, mais peint par le premier venu, il flottait, pur et magnifique, par delà les affiches lumineuses et les fils électriques... Il faillit geler en plein vol; incapable de modifier l'empennage de sa jaquette figée, il dut atterrir en catastrophe; tel un affreux harfang aux plumes cassées, il troua la foule éberluée qui assaillait le Forum.

Gaston Ratté n'était plus lui-même. Il était le Rat d'Aréna! Ce demi-dieu doté de puissance, ce robineux illuminé au milieu de la masse de monde, grise et tassée serré. Il fit son chemin comme une boule d'énergie crépitante, renversant les quilles humaines sur son passage.

— Ôtez-vous d'là! ôtez-vous! c'est le Rat d'Aréna qui s'en vient sauver Canadien! croyait-il entendre dans un haut-parleur derrière lui, pendant qu'il bousculait les badauds gelés dur.

Il déboucha comme un déchaîné en plein milieu des estrades, tout à fait inaperçu parmi la foule trépignante, juste à temps pour remettre la rondelle à Guy; apparemment étonné de prendre enfin possession de la rondelle, il lança à l'aveuglette droit devant lui.

Le Rat dut parachever l'action en faisant dévier la rondelle devant le gant du gardien, qui s'écroula sous les hurlements de la foule en délire.

Le Forum fut ébranlé par l'ampleur de la clameur; les cris, les applaudissements et le tapage faisaient frémir le toit d'acier, et l'endroit tout entier vibrait comme un transformateur survolté. Des milliers de partisans lançaient des milliers de chapeaux, de gants et de bottes sur la patinoire, comme pour couvrir d'offrandes le lieu sacré du jeu sublime. Et, dominant le tumulte, faisant tournoyer ses vibratos au diapason de la fête, l'organiste martelait ses claviers dans un rythme primitif et libérateur. Enfin, quand les supporteurs eurent épuisé leurs vêtements et leur voix, on nettoya la glace, et l'annonceur officiel du Forum claironna qu'il ne restait plus que cinq secondes.

— Pour marquer le but égalisateur! complétèrent trente mille partisans étagés autour de la glace.

Alors la foule se recueillit et le Forum retrouva le calme qui convenait au Temple du Hockey.

L'arbitre s'approcha pour la mise au jeu la plus célèbre de l'Histoire du Hockey, et trente mille spectateurs poussèrent un gémissement. Ce fut comme si le Forum tout entier se vidait de sa tension. Trente mille regards anxieux surveillaient l'apparition du disque au centre géométrique des lieux — le cercle bleu au milieu de la ligne rouge qui divisait le jeu en deux; un seul avait un pouvoir, celui du Rat d'Aréna, qui prenait son élan téléclikétique.

Au moment où le disque quitta la main de l'arbitre, la foule se dressa en un seul mouvement, et un spectateur renversa son café brûlant sur Gaston. Il perdit une seconde, ce qui suffit au centre des Robots Russes pour faire glisser le disque dans sa zone. Même s'il n'aimait pas ces jeux trop spectaculaires, Gaston se vit obligé d'augmenter la vitesse de la rondelle, de la faire dévier sur le bâton d'un défenseur russe, pour la faire pénétrer dans le filet à une telle vitesse que le gardien ne la vit pas du tout. Pendant deux longues secondes, personne ne réagit: personne n'avait aperçu la rondelle. Quand le juge de buts remarqua le disque dans le fond du filet, il fut grandement étonné, et sceptique, mais son doigt appuya machinalement sur le bouton qui allumait la lumière rouge qui faisait hurler la foule.

Et la foule se mit à hurler; elle explosa de joie, jusqu'à ébranler les fondations du Forum. L'ovation n'en finissait plus, comme si la foule en fête était ivre d'elle-même. Guy Lafleur, encore! venait d'égaliser à une seconde de la fin!

Mais il fallut attendre une heure pour jouer cette dernière seconde de jeu. Une heure pendant laquelle les supporteurs rivalisèrent dans leurs manifestations triomphantes — comme si «ne pas perdre» voulait dire «gagner». Francophones, anglophones, allophones et même aphones hurlaient dans une communion primitive. Toutes les races, les immigrants comme les mutants, jeunes, riches, vieux ou malades, tous unissaient leur voix dans un véritable chant collectif en levant leur verre à la victoire à venir, entonnant tout naturellement un hymne à la bière nationale.

— Je crois effectivement que ces premières manifestations de joie ont affaibli prématurément la base du bâtiment, avait conclu plus tard le responsable de l'équipe chargée de l'enquête. Ces cris, ces chansons à boire, toute cette frénésie populaire a atteint un point critique, provoquant une curieuse maladie moléculaire: la «dépression du métal».

L'édifice avait résisté à ce premier choc — d'ailleurs il en avait vu de toutes les couleurs avec Maurice Richard, les Beatles, Diane Dufresne et Marie-Lune Morneau — et on aurait pu l'utiliser pendant longtemps encore, si la dernière seconde de jeu n'avait pas été l'occasion d'une telle explosion.

Le Rat d'Aréna avait pompé des forces nouvelles à même les vagues de puissance qui secouaient les spectateurs dans la lumière vaporeuse. Aspirant goulûment la chaleur du troupeau humain, il avait puisé directement à ce qui unissait la foule, à la ferveur qui confondait les rangées de corps entassés, aux accords ronflants de l'orgue ultrasonique. Il avait emmagasiné tant de puissance qu'il était devenu l'âme des lieux, le Fantôme du Forum, parfaitement capable de déplacer les choses plus vite que la pensée.

Évidemment il avait profité de la pause pour prendre des forces au bar. Quand les Russes et les Lafleur furent prêts à s'affronter de nouveau, Gaston était soûl, surexcité, surpuissant. Les quatre joueurs russes eurent beau se disposer en une ligne compacte derrière leur centre, le gardien eut beau s'avancer pour fermer totalement l'angle du but... dès que l'arbitre abandonna la rondelle, Guy Lafleur gesticula et le disque partit comme l'éclair, traversant facilement les joueurs russes et filant tout droit vers le gant du gardien. Mais sa trajectoire changea subitement comme on le constata en examinant soigneusement les bandes vidéoscopiques.

Gasse faisait dévier la rondelle dans le but, absolument conscient du temps qui menaçait son pouvoir, lorsqu'il s'aperçut que l'ultime seconde de jeu serait écoulée avant que le disque ait atteint le filet!

Le Rat d'Aréna exigea le maximum de puissance; peu importait l'impertinence de son intervention, il fallait que le Canadien gagne et, pour cela, il se devait d'arrêter le temps.

Il ne s'excusa pas auprès du Bon Vieux Divin Bonhomme, il ne pensa pas aux savants calculs d'Einstein et, ce qui lui fut fatal, il négligea les rouages du continuum téléclikétique. Plein d'une confiance absolue en son pouvoir, il s'apprêta à bloquer le parcours du temps — sans toutefois en abuser: une seule petite seconde, et uniquement dans le temps sacré qui avait cours à l'intérieur du Forum.

Ce fut suffisant pour que le Forum s'effondre.

Guy Lafleur, tu étais la chaleur de notre hiver intérieur, c'était toi qui resserrais les liens invisibles de la collectivité, toi le rédempteur, mi-homme mi-démon blond, portant le sens de notre combat national sur LA SCÈNE SPORTIVE, sur la glace éblouissante comme sur les écrans scintillants, là où la victoire nous était enfin concédée.

Guy Lafleur, que de bêtises en ton nom! Que ton Fantôme me permette d'ajouter ma contribution aux explications extravagantes qui fusent comme un gaz asphyxiant, cherchant à remplir le vide de notre angoisse collective.

Guy, je te dédie ce texte, très humblement. Pardonne-moi comme tu as toujours pardonné à tes loyaux adversaires. Et qu'importent toutes ces histoires qu'on a mêlées à ton nom, je resterai toujours fidèle à ta mémoire.

... Que l'on me pardonne aussi cette intrusion personnelle: jamais je ne saurai exprimer la consternation qui affectait les fidèles partisans de Guy Lafleur, réduits à suivre les ternes activités du Hockey sans les Canadiens.

Avec l'effondrement du Forum, le cœur de la nation venait d'éclater, le tabernacle qui renfermait les liens essentiels de notre fusion. Et le bon peuple besogneux de la ruche québécoise tournait en rond comme s'il avait perdu sa reine. Les partisans restaient là à contempler bêtement cette plaie rouge au sein du pays, ce trou temporel par où fuyait la vie de l'espoir. L'incertitude nationale se répandait, et elle ne cesserait pas tant que les experts ne refermeraient la blessure en validant la victoire du Canadien.

Imaginez un instant les Catholiques sans dimanche ou les Juifs sans sabbat, les Américains sans capital ou les Russes sans communisme! Jugez un peu: un peuple croyant peut-il survivre à la mort de ses dieux?

À quoi bon! Les mots ne feront jamais revivre le Canadien!

Depuis l'écrasement des Canadiens, une colonne de partisans intraitables formait une sombre procession autour de l'amoncellement fumant du Forum, Temple puis Tombeau de leurs idoles: six super-sosies de Guy Lafleur, clonés sur le célèbre champion des années 70. Le dos courbé et les pieds gelés, les supporteurs piétinaient la neige sale, suffoquant dans l'air glacé de janvier. Condamnés à une interminable partie nulle, ils ne cessaient de se remémorer les derniers moments du match. Ils avaient mis tout leur cœur dans l'ultime lancer de Guy Lafleur; devant leur petit écran, ils s'étaient tous élancés comme lui; mais soudain l'image était devenue blanche, et l'angoisse avait éteint leurs cris de joie. Tels des zombis entêtés, trépignant dans la *slotche* et rabâchant les commentaires des *spécialistes sportifs,* ils se lamentaient autour des ruines, les traits tirés et les yeux rougis par la détresse et l'alcool, dans l'attente d'une révélation, d'un signe de victoire, qui sait? de la résurrection des Guy Lafleur! Les experts de La Taverne, ceux qui repassaient continuellement leurs cassettes des Canadiens, les maniaques des statistiques et ceux qui en inventaient, les fervents, les amateurs et les gogos qui comptaient sur leur club pour se procurer des sensations fortes, les inconditionnels autant que les critiques virulents, et même ces intellectuels qui se targuaient de décoder la quintessence de leur jeu, tous ceux qui mettaient leur espoir dans les Canadiens — au Canada, un mâle sur deux croit aux Canadiens — tous ces supporteurs au summum de la passion étaient excessivement déçus; certains semblaient gelés, hors du temps, figés comme leur calendrier du Hockey, alors que les irréductibles patinaient et lançaient des hypothèses dans le vide. Tantôt les grandes impuissances internationales, tantôt des saboteurs, des fous furieux ou des agitateurs étaient mêlés à la catastrophe; Guy Lafleur lui-même était évoqué par ses propres admirateurs, fous de douleur, imaginant que leur idole avait voulu immortaliser la force de son lancer.

Pour mettre un terme au match nul, l'Association du Hockey International avait dépêché des enquêteurs chargés d'autopsier la dépouille du Forum; ils tâchaient de reconstituer le lancer terminal en analysant la disposition des débris. Comme les aruspices qui lisaient l'avenir dans les entrailles, comme des archéologues du passé immédiat, ils inspectaient soigneusement la zone où le démon blond avait décoché le tir fatal. Le but avoué des scientifiques était de déterminer qu'il y avait eu but, et ils étaient prêts à plier la science aux exigences de leur foi. C'était d'ailleurs ce que les supporteurs attendaient d'eux.

Tous les partisans du pays étaient rivés à Radio-Kêbek où régnait une nouvelle confusion, à peine contenue par les *spécialistes sportifs* à qui on demandait de commenter la tragédie. Seul Monsieur Kenneville faisait bonne figure au milieu de cette agitation. Il savait parfaitement son rôle: pencher sa vénérable tête mi-blonde mi-blanche, froncer des sourcils lourds de sagesse et dire des banalités d'une voix chaude en articulant impeccablement, mais d'une manière *cool,* sous ses épaisses moustaches à l'anglaise. Monsieur Kenneville rassurait; il le faisait même trop bien, avec des accents de sincérité si constants qu'ils ne trompaient plus personne.

L'AHI avait établi son calendrier sans les Guy Lafleur et, depuis, la révolte grondait dans La Taverne Nationale. Un bon Samedi Soir, le meilleur commentateur de Radio-Kêbek fut chargé de calmer les partisans excédés par plusieurs semaines de match nul. Il avait de l'élégance, Monsieur Kenneville, et on buvait ses belles paroles:

— ... un but mathématiquement improbable, déjouant tous les calculs, mais parfaitement réussi! avait-il conclu.

Les enquêteurs avaient longuement fouillé les décombres, et c'est en dégageant le corps d'un vieil ivrogne qu'ils avaient découvert le disque; il avait bel et bien franchi la ligne du but! Assez curieusement, du reste, car il avait rejeté les débris sur son passage, comme s'il avait été poussé par un Fantôme...

Écrivains XXIII

François Barcelo

— **T**abernacle, pensa Médéric Forget, ravi de se souvenir de ce juron archaïque.

Mais cela ne le détourna que quelques secondes de l'objet de sa mauvaise humeur. *Imagine... revue télématésée de science-fiction québécoise* lui avait demandé un texte sur le thème du Nord. Et Médéric Forget n'était pas très inspiré.

— Relecture du dernier paragraphe, ordonna-t-il.

L'ordinateur lui rappela aussitôt les phrases qu'il venait de lui dicter.

«Ce qui distingue notre nordicité de celle des autres peuples du Nord, ce n'est pas que nous nous soyons multipliés en parlant une langue qui nous protégeait de nos voisins, ni que nos mariages consanguins aient conservé à notre sang sa pureté originelle. Au contraire, c'est l'apport d'éléments étrangers difficilement intégrables mais éventuellement intégrés qui a renforcé notre identité.»

— Ouais, pensa d'abord Médéric Forget avec la fierté du mauvais écrivain qui croit qu'il écrit bien.

Il demanda une seconde lecture.

— Beuark.

Il se rendit à l'évidence: il avait écrit comme un politicien, et ce n'était pas ce genre de jargon qui avait fait de lui un écrivain réputé.

Au contraire, si ses œuvres se vendaient si bien — la plus récente, *Par les cheveux,* atteignant déjà d'après l'ordinateur plus de seize mille lecteurs moins d'un mois après sa sortie — c'est que Médéric Forget savait mener rondement ses récits, inventer des personnages sympathiques, raconter n'importe quoi à condition de bien le raconter.

Et c'était sûrement ce qu'attendaient les lecteurs

d'*Imagine*... une histoire amusante, avec un peu de porno-graphie et juste un brin de satire sociale.

— Effacement, ordonna rageusement Médéric Forget.

Il le regretta aussitôt: on ne sait jamais à quoi peuvent servir même les textes les plus mal foutus. On peut toujours, par exemple, les caser dans l'histoire d'un mauvais écrivain.

Mais il était trop tard. Les trois paragraphes sur la nordicité avaient disparu à tout jamais dans le vide infini des mémoires purgées. Médéric Forget ne fut pas tenté de les réécrire.

«Si j'écrivais plutôt une nouvelle historique? Par exemple, l'histoire d'un écrivain d'autrefois...»

Sollicité, l'ordinateur fouilla dans ses mémoires et présenta à Médéric Forget un rapport succinct et illustré sur les techniques anciennes d'écriture. Les plumes d'oie, les crayons de bois, les machines à écrire, l'invention du stylo bille, l'apparition de la première génération d'appa-reils de traitement des textes, la création des correcteurs d'orthographe à un seul niveau... bientôt l'histoire de l'écriture n'eut plus de secret pour Médéric Forget.

Mais, dans tout cela, rien ne permettait de distinguer l'auteur québécois primitif des écrivains étrangers de la même époque.

«Si les auteurs anciens, se dit alors Médéric Forget, écrivaient tous avec les mêmes outils, c'est sans doute le contexte physique qui devait distinguer les auteurs québé-cois de leurs contemporains des autres pays.»

Cette fois, l'ordinateur présenta une reconstitution brève mais saisissante des conditions de vie des pionniers de la littérature québécoise, avec photos à l'appui.

Lorsqu'il découvrit le visage souriant de Michel Trem-blay vêtu d'une chemise à carreaux et assis devant un micro dans un studio de télévision, puis celui songeur mais tout aussi poilu de Louis Caron marchant dans un champ enneigé, Médéric Forget crut avoir enfin saisi l'essence des écrivains québécois d'autrefois: des campagnards barbus.

Mais il dut se raviser dès que l'ordinateur lui présenta des images de Jacques Godbout, un verre à la main, dans un salon enfumé, puis de Jacques Ferron avec son regard doucement énigmatique.

— Ouais, conclut Médéric Forget avec impatience, pas de commun dénominateur chez les précurseurs.

Il renonça à utiliser les mémoires de l'ordinateur. Après tout, si l'avenir était une conclusion logique du passé, il était à plus forte raison le résultat du présent. Et Médéric Forget se sentait tout à coup de taille à le prévoir par une réflexion méthodique et à en tirer une histoire qui appartiendrait à la fois à la science-fiction la plus pure et au réalisme le plus précis.

Il se mit à rêvasser plus qu'à réfléchir, sa pensée devenant trop vague pour que l'ordinateur fût capable de la prendre en mémoire.

Sans doute un jour, songea Médéric Forget, l'écrivain serait-il de plus en plus libéré des choses matérielles. Déjà, et depuis longtemps, on s'était débarrassé des livres pour les remplacer par la télélecture informatisée. Il n'existait plus d'œuvre physique — mais uniquement un courant stocké dans les mémoires de l'ordinateur de l'écrivain et dirigé vers l'ordinateur du lecteur qui en faisait la demande, l'ordinateur d'origine comptant lui-même le nombre de lecteurs de chaque œuvre et versant les redevances dans le compte en banque de l'auteur. De cette manière, Médéric Forget était devenu presque millionnaire, même s'il n'avait aucun moyen de dépenser cet argent. Mais pouvoir mesurer l'ampleur de sa fortune et le nombre de ses lecteurs suffisait amplement à le satisfaire.

Peut-être un jour l'écrivain cesserait-il de se préoccuper de sa fortune et de ses lecteurs et se mettrait-il à écrire uniquement pour lui-même?

Cette pensée séduisit aussitôt Médéric Forget. Elle commença à se préciser suffisamment pour que l'ordinateur la retienne.

«Imaginons un auteur qui n'écrit plus pour les autres, pour la gloire ou pour la fortune: il n'écrit que pour lui-même. Donc, plus besoin d'ordinateur, puisque celui-ci n'est que la mémoire et le moyen de transmission de l'œuvre. L'auteur qui n'écrit plus que pour lui-même n'a besoin que de créer. Il n'a plus besoin d'une création, car l'action de créer le satisfait bien plus que l'objet qu'il pourrait créer.»

Médéric Forget savoura pleinement cette perspective. Il s'imaginait lui-même en tant qu'être uniquement pensant, écrivain sans écriture. Peut-être alors même les mots — reflets bien imparfaits de la réalité — disparaîtraient-ils eux aussi.

«Un écrivain sans mots, sans machines, sans rien. Un être parfait, quoi», songea Médéric Forget joyeusement.

Mais sa bonne humeur fut de courte durée. Comment raconter l'histoire d'un être parfait, sans corps, sans moyen de communication, sans désir de communiquer?

Et quel serait le rapport entre cette histoire et le Nord? Serait-il possible de paraître prétendre que l'homme du Nord demeure tributaire de ses ancêtres, de son peuple, de sa nature québécoise, même lorsqu'on le désincarne totalement?

Médéric Forget réfléchit encore quelques instants. Mais la fatigue commençait à l'envahir. Et il s'endormit sans avoir décidé quel serait le sujet de son histoire pour *Imagine...*

N'ayant ni oreilles, ni yeux, ni sens olfactif, il ne fut pas réveillé par l'entrée de deux jeunes médecins dans la salle ÉCRIVAINS XXIII.

— Ici aussi, fit le premier, ce sont des cerveaux d'écrivains.

— C'est vrai, demanda le second, qu'ils sont

branchés à des ordinateurs et qu'on les laisse écrire tout
ce qu'ils veulent?

— Tout à fait. Personne ne les lit. J'ai essayé, une
fois. C'est incroyable, les bêtises que peuvent raconter ces
cervelles sans corps. Absolument rien d'utile. L'ordinateur
leur fait tout simplement croire qu'ils ont des milliers de
lecteurs. Et eux continuent à écrire, comme des imbéciles.
Tiens, l'ordinateur leur passe même des commandes pour
des publications qui sont disparues depuis des siècles!

— Pourquoi gardons-nous ces vieux cerveaux au lieu
de les jeter à la poubelle?

— À cause de la loi sur la conservation des biens
culturels. Il faudrait changer la loi, mais tu connais le
gouvernement...

L'angle parfait
de Franco Bollo

Michel Bélil

Des explorateurs d'angles, sous la direction du célèbre archéologue Franco Bollo, revenaient en grande pompe d'une mission délicate. Le Grand Doigt XIV, mécène de la géométrie non euclidienne, les avait mandatés pour découvrir d'autres formes de vie.

Dans ce monde d'hyperboles, d'aréoles, de disques, d'anneaux et de boucles à la 3,1416..., il était déjà osé de croire en la simple possibilité de traits rectilignes. Mais le Grand Doigt XIV, de la dynastie des Doigts à verrues, n'en était pas à un écart près, manipulé en douce par son cercle personnel de devins, de mages et de sorciers. Mégalomane comme ses treize prédécesseurs, il voulait passer à la postérité par quelque découverte sensationnelle, redorer son blason et rejeter de la sorte les intrigants qui, à l'ombre du château sphérique, fomentaient une rébellion (on parlait de mettre sur le trône le jeune Oreille IX, de la dynastie des Oreilles à verrues!).

Mais revenons à Franco Bollo et à ses intrépides. Ils avaient finalement réussi, après moult calculs alchimiques et anti-ellipsoïdaux, à créer une brèche dans un angle parfait de 90 degrés. Ils s'étaient aussitôt faufilés dans le corridor béant et avaient débouché dans un univers étrange, inimaginable à ce qu'il paraît... un univers avec un soleil, le jour, une lune et des étoiles, la nuit... un univers où les villes étaient dessinées en damiers, les maisons en boîtes rigoureusement symétriques, les champs de blé en vastes rectangles...

— Bougez pas! Sommes peut-être chez peuplade primitive sanguinaire!

Nul n'avait bougé.

Tapis trois jours durant dans le massif d'érables et de chênes, ils n'avaient pas mangé ni dormi. Ils avaient épié la moindre allée et venue suspecte.

☐

Marie-Virginie, fillette solitaire, avait le nez retroussé sur une figure parfaitement ronde. Lorsqu'elle se couchait au soleil, on pouvait deviner l'heure à l'ombre que dessinait son nez sur sa bouche et sur ses yeux. Un vrai petit gnomon!

Ce matin-là, elle était folle de joie. On était à la fin de juin. L'école venait de fermer ses portes. Et pour la récompenser de ses bonnes notes, ses parents lui avaient offert une enveloppe ventrue où se pressaient des centaines de bouts de papier multicolores, à motifs variés.

Toute l'année, comme le lui avait recommandé sa mère, Marie-Virginie avait mis tout son bon vouloir à paraître aimable, pas trop sauvage. Ce n'était pas parce que sa maison était située au fin fond du dernier rang de la paroisse qu'elle se cabrerait dans sa solitude! Que non!

Toute l'année, donc, elle avait dit «bonjour» à monsieur Lautobus lorsqu'il venait la prendre, le matin, et «bonsoir» lorsqu'il la reconduisait. Elle allait jusqu'à esquisser des sourires à ses compagnons de classe, eux pourtant si vulgaires et polissons.

Partie de bon matin, à l'instant précis où le soleil commençait à enflammer la campagne d'Amianteville, elle avait marché droit devant. Elle n'était pas inquiète pour ses parents («les vilains paresseux! dorment comme des bûches! pas résistants pour un sou!»): une note, sur la table, les avertirait de son «déparre an mision spécialle dan la pu grosse dé 2 chine». Elle croyait qu'ils comprendraient son cryptogramme puisqu'ils s'étaient souvent vantés d'avoir été à l'école fort longtemps.

Au bout du champ de blé, le sentier des vaches menait au ruisseau Cabochon. Dans l'eau claire, les têtards gesticulaient comme des écoliers dans une cour de récréation. Un pont, fait d'un tronc mal équarri, enjambait le copain Cabochon. Plus loin, un bosquet encensait à la ronde son ombre et sa fraîcheur.

Le soleil flambait de ses mille feux. L'été démarrait en trombe. Après s'être aspergé le visage et avoir lancé des cailloux aux têtards «vulgaires et polissons», elle avait traversé le pont même si elle craignait de tomber.

Il était presque midi. Un moineau et un rouge-gorge s'invectivaient à grand renfort de pépiements et de mouvements d'ailes.

De son sac d'écolière, converti pour l'occasion en trousse de voyage, elle a sorti un carton de lait au chocolat, des sandwiches au beurre d'arachides et une grosse banane bien mûre.

□

Dans l'immense château aux murs voûtés et au plafond lambrissé d'arcs entrelacés (selon la technique ancienne du nez-lithique), l'archéologue Franco Bollo faisait rapport au Conseil rassemblé. Le verbe haut mais le souffle court (comme la plupart de ses concitoyens de la planète Cernès), il donnait l'impression d'être un couvercle de marmite sautant maladroitement sous la poussée formidable de la vapeur; ou mieux encore: d'un ex-chanteur d'opérette devenu asthmatique. Il ouvrait la phrase en claironnant le sujet, s'embourbait dès le verbe pour toussoter le complément dans un dernier souffle rauque. Puis, le manège recommençait.

L'instant était mémorable. On tournerait sans doute une autre page dans l'histoire des sciences dites exactes. Tous prêtaient la plus grande attention (l'expression «on était toute oreille» avait été interdite par édit).

Dehors, sur le rond-point, une foule bigarrée attendait les résultats du voyage à travers les angles. Des tribuns commentaient à leur façon les rumeurs de toutes sortes en claironnant, en s'embourbant, en toussotant...

Mais redonnons la parole à Franco Bollo qui bombe

déjà le torse avant l'assaut de la première phrase.

— Voici résultats présentés à gracieux illustrissime Doigt XIV. Détails dans rapport annexe. Créature androïde mastiquait chose blanchâtre. Avons patienté cœur battant. S'est éloignée chasser petit mammifère rongeur pelage roux queue longue panachée (le reste de la phrase s'est perdue dans la bave)... N'avons hésité. Avons saisi sac contenant cartable enveloppe. Bout nourriture laissé là. Sommes revenus bosquet. Avons réintégré corridor bouché ouverture précaution. Voyage retour loin monde 90 degrés. Mission accomplie...

Ses propos saccadés avaient créé un vif émoi. La cour allait enfin palper certains objets d'une civilisation inconnue.

L'enveloppe a été éventrée et des bouts de papier ont couru de main en main. L'archéologue était fier de l'intérêt ainsi suscité. Il se voyait siégeant au Conseil, entouré du halo des grands découvreurs.

Pendant des mois, les savants de toute discipline allaient étudier ces motifs étranges, mais sans arriver à aucune conclusion satisfaisante.

....

Entre-temps, les partisans d'Oreille IX s'armaient dans le plus grand secret. Au jour fixé, avec promptitude et efficacité, ils ont renversé le monarque (lui amputant les doigts à la hache avant de l'égorger) et ont saccagé la machine à traverser les angles. Quant à Franco Bollo, il avait dû fuir on ne sait où pour ne pas être immolé en tant qu'hérétique.

Les nouveaux devins ont fait l'holocauste des bouts de papier, du cartable et du sac de cuir énigmatiques. Et dorénavant, sur cette planète parallèle où le Dieu 3,1416... était de nouveau monté sur son socle ovale, nul ne parlerait ni ne gloserait à propos de cette collection de timbres sacrilèges.

Québec, juillet 1979

La septième plaie
du siècle

André Carpentier

Un peu plus tôt, les deux passagers s'étaient soudainement extirpés d'un profond sommeil, se découvrant dans leur petit astronef-éclaireur dérivant dans un lieu de la galaxie qui leur était inconnu.

— Je n'ai jamais tenté une pareille manœuvre sans l'aide de l'ordinateur! Sais-tu ce qu'il faut faire?

Les deux voyageurs s'étaient d'abord spontanément tournés du côté de cet ordinateur de bord pour l'interroger sur ce qu'ils ignoraient de leur situation, c'est-à-dire presque tout! Or il n'avait répondu ni aux demandes de renseignements ni aux ordres de manœuvres. Il avait seulement laissé entendre que le navire dérivait dans l'amas central de la galaxie et qu'il n'y pouvait rien tant l'orage magnétique l'avait affaibli.

— Je crois que je peux m'y retrouver.

Les deux passagers s'étaient alors crus trompés, comme les hommes le sont souvent devant l'inconnu; puis, répondant sans doute à un vieux réflexe, ils avaient tenté de faire preuve de plus d'autorité vis-à-vis de l'ordinateur, mais sans succès. Ils l'avaient ensuite supplié jusqu'à manifester leur embarras, leur trouble! Mais rien n'y avait fait.

— Pourquoi as-tu choisi de nous poser sur cette planète?

L'ordinateur s'était tu, apparemment détaché de la vie du navire. En réalité, cependant, il avait continué de le guider, sauf qu'au lieu de commander directement à l'engin, il préférait agir sur ces deux drôles d'intermédiaires qu'il considérait d'ailleurs, sans même savoir au juste pourquoi, comme... le dirait-il?... comme une partie de lui-même!

— Je ne sais pas? Elle est juste là devant nous. Il faut

nous fier au hasard puisque l'ordinateur ne peut pas nous aider.

En agissant ainsi, l'ordinateur ménageait l'énergie. Cela lui importait, car l'orage magnétique avait endommagé son multiplicateur, hypothéquant une grande partie de ses fonctions et lui faisant perdre jusqu'à près de quatre-vingts pour cent de sa mémoire. Il lui fallait choisir, donc abandonner des tâches. La gouverne du navire fut l'une d'elles.

— Tu as raison: on n'a pas le choix. Hey! Ça ne va pas: on descend trop rapidement. Donne de la puissance.

L'ordinateur perçut cette demande comme une blessure supplémentaire. Il lui fallait veiller à la survie du navire, donc laisser le répartiteur satisfaire aux exigences des réacteurs. Mais, en même temps, il luttait pour la conservation, même partielle, de quelques-unes de ses autres fonctions. Il abandonnait malgré lui des détails, sauvant les modèles à partir desquels il pourrait reconstituer les grands ensembles qui l'avaient habité.

— De la puissance, de la puissance...

Mais, peu à peu, des formules complètes disparaissaient de sa mémoire, des programmes de manœuvres s'effaçaient.

Étrangement, le petit astronef se posa sans fracas. Il n'y eut qu'un léger bruit tout intérieur. D'autres circuits sautèrent. Des sections entières de l'ordinateur furent mutilées.

— Vite, les extincteurs!

En désespoir de cause, l'ordinateur dépensa un peu plus de son énergie pour enrayer lui-même l'effet de la conflagration. Il en perdit jusqu'au contrôle de la voix! Une partie de la suite de ce récit s'accompagne d'un grésillement importun. Un homme, ici, eût gémi.

Les deux voyageurs en étaient revenus à des attitudes liées à leur déveine. La solitude pesait d'autant plus sur ce qui leur servait d'âme que la compréhension des faits leur revenait peu à peu. Le multiplicateur d'énergie avait flanché au pire moment de l'orage magnétique. Une telle réparation leur demanderait d'autant plus de temps qu'ils étaient mal outillés et inexpérimentés. Leur première décision, toutefois, et en cela ils répondaient à la règle d'or des naufragés de l'espace, fut d'analyser ce raisin bleu suspendu au cœur d'une grappe détachée du réel, cette planète apparemment désertique sur laquelle ils venaient de se poser.

Dans les instants qui suivirent, ils entreprirent un double travail de relevé de données sur l'environnement et de restauration du multiplicateur d'énergie. Le temps glissa ainsi entre le crépitement de l'ordinateur à peine ponctué de déclics rappelant l'âge de la mécanique et de vibrations sourdes issues de l'ère de l'électromagnétisme. Lentement, le secret de la force motrice commença de faire place à une parcelle de compréhension en même temps que le multiplicateur retrouvait le seuil de ses capacités et l'ordinateur un peu de ses aises. Puis le cours des événements changea et les deux voyageurs procédèrent à deux constatations: d'une part que l'environnement avait brusquement mis au point une stratégie d'autodéfense qui le rendait impénétrable; d'autre part que cela n'avait plus beaucoup d'importance puisque l'ordinateur avait maintenant pris sa régénérescence en mains. On pourrait bientôt retourner vers la flotte de l'Exil stationnée au delà d'Antarès.

L'ordinateur reprenait en effet le contrôle de la plupart de ses fonctions, mais certains programmes avaient à ce point souffert dans l'aventure qu'il n'en retrouvait nulle trace. La partie «histoire» de sa mémoire avait été réduite au minimum. Et c'est justement au moment où il cherchait au plus profond de ses entrailles un sens à donner au modèle général qu'il gardait en lui que surgit ce qui allait provoquer la fin de tant de choses.

Il récapitulait les six plaies du siècle: *l'érosion de la*

couche d'ozone, la vie sous cloche; *la dernière guerre planétaire,* la vie sous terre; l'arrivée des Antarèsiens, la robotisation, l'arrivée des Arcturiens, *la première guerre Antarès-Arcturus;* l'ère des holos, *la révolte des robots; la deuxième guerre Antarès-Arcturus; l'Exil des cent huit vaisseaux terriens.*

Soudain, l'histoire, sous la forme ténue d'une simple vision, vint amorcer sa bombe entre les mains des deux passagers.

— Qu'est-ce que c'est?

Une forme familière venait d'apparaître près du vaisseau; c'était un astronef-éclaireur d'un type antérieur au leur! Il était là, simplement, posé à la surface du mystère comme un discours obscur dans la bouche d'un sage, encadré dans une nature tout à coup plus diversifiée, plus présente.

Les deux passagers échangèrent des regards troublés, agités. Ça ne pouvait pas être autre chose...

— Si au moins on avait un compteur holographique... C'est scandaleux! Depuis la loi sur les détecteurs privés, on ne se distingue plus des robots ou des holos!

— Mais voyons... Plus personne ne se préoccupe de ça, aujourd'hui...

— Justement. Je ne comprends pas pourquoi on prive encore les explorateurs humains de tels instruments...

— J'ai déjà entendu dire que les holos et les robots ne se différenciaient plus eux-mêmes des humains.

— C'est ridicule.

L'un enfila sa combinaison de sortie en serrant les dents de colère, l'autre montrait un visage crispé par l'angoisse. Dans l'esprit du premier flottait l'espoir de trouver dans ce vaisseau fantôme un comptoir holographique, dans celui de l'autre, la crainte de découvrir des corps décomposés. Ni l'un ni l'autre ne fut déçu.

Le premier toucha le détecteur comme on avale une

nourriture sacrée; l'autre, respectueux de l'aplomb de son compagnon et sans doute profane en matière de détection, se tint un peu à l'écart. Il vit mieux, ainsi, s'exprimant sur le visage du premier, d'abord une certaine incrédulité, puis de l'affolement et enfin la torpeur, la vraie, celle qui resserre la gorge et engourdit tout le corps!

— Il n'y a pas que le vaisseau qui soit holographique...

Dans le ciel bleu d'œdème, des millions d'astres se renvoyaient à l'infini des images d'eux-mêmes.

— Il y a aussi... aussi la planète.

Tout autour du vaisseau, l'enserrant de partout comme une proie naïve, un horizon sombre semblait émerger de l'envers du vide.

— Tu ne vas pas te fier à cet appareil. Il est peut-être là depuis... depuis... Tu es sûr?

Au loin, aussi, des pierres géantes disputaient l'espace à des bandes de lumière empoussiérées que des monticules opaques endiguaient.

— Regarde, l'appareil indique même qu'il n'y a pas la moindre trace de matière sur cette planète!

Plus près, d'autres concrétions colorées réfléchissaient l'envie des étoiles de pâlir la nuit.

— Tu as raison. Même notre vaisseau!...

Sous les deux astronefs, de la matière inerte et sèche, d'une lividité de verre, absorbait toute lumière.

— NON! Ne pointe pas cet appareil sur moi!

La planète se cherchait une image. Les deux explorateurs de l'espace, eux, refusaient la leur, d'autant plus qu'ils n'étaient que cela, la représentation de quelque créature qui les avait créés à son image. L'ordinateur, qui leur communiquait la vie comme les ficelles transmettent à la marionnette les désirs du manipulateur, tenta un geste ultime pour leur insuffler un peu d'espoir. Mais le désenchantement, la désespérance même des deux créatures étaient déjà plus solides que les ficelles de l'homme, cette bête apatride traquée par tout l'espace dans ses propres fantasmes. L'ordinateur ne put retenir plus longtemps leur vie... ni celle de la planète! Les deux créatures s'effacèrent de ce vaste univers par leur propre chagrin... sans fracas. L'ordinateur ne modula qu'un léger bruit tout intérieur que la flotte de l'Exil démodula presque aussitôt. Or, de tels messages arrivant de partout, on annonça la septième plaie du siècle: la dépression des holos.

Lac Bastien, février 1982

Les virus ambiance

Agnès Guitard

I

Lizone déformait doucement, du bout d'un stylet, une puce électronique gris miroir et gris mercure, aussi malléable qu'un déchet organique.

— Ce n'est pas du silicium, dit Voyag en se redressant, fatigué de s'astreindre au strabisme convergent pour fixer de près un objet aussi petit. Mais cette puce, elle capte quoi? En l'employant, tu ressens quoi?

Lizone sourit un peu, toujours étonné par la syntaxe économe et la sécheresse des questions de Voyag. «Déformation professionnelle, songea-t-il. Même sa langue sent l'informatique, l'instruction machine. Et je n'entends que la traduction. L'original doit être encore plus sec.»

Pour se comprendre, les deux amis étaient forcés d'avoir recours à une machine à traduire portative. Chacun coiffait des écouteurs et un micro, et parlait dans sa langue maternelle. La machine se chargeait d'analyser la voix, de traduire, et de resynthétiser la voix dans l'autre langue. Ce mode d'échange ne valait pas le contact plus chaud des conversations sur le vif: quelque chose se perdait. Trop souvent, la possibilité de bien juger l'autre n'y résistait pas.

— Ai-je mal compris? disait justement Voyag, dérouté par l'étirement symétrique des lèvres de Lizone. Tu portes bien une puce comme celle-ci au cerveau? Et quand tu survoles un continent habité, tu captes... qu'as-tu dit que tu captais?

— Je capte d'un coup tout ce qui en émane, répondit

Lizone. Ou, plus précisément, les ambiances. Tu dois savoir, intuitivement, que tout lieu dégage une «atmosphère». C'est ce que je capte: l'ambiance, cette chose intangible et collective, subie par les personnes et générée par elles, qui dépend du lieu et de l'heure, des faits et des actes, des pensées et des mouvements, et des forces en jeu dans ce coin de l'espace: les influences gravitationnelles, climatiques; les sentiments; ce qui s'étiole, ce qui se développe... Je sens tout cela à la fois, avec une précision étourdissante. Je sens ce qui fait fermenter les villes, j'identifie les idées qui s'entrechoquent, je sais quelles émotions montent et se creusent, je peux nommer les tendances dominantes et les obsessions souterraines. Tout s'inscrit en moi globalement, en pétarades stroboscopiques, sous forme de sensations nouées et de présences grouillantes. Cela me bouleverse intérieurement comme un climat déréglé.

Voyag se permit une interruption; il trouvait Lizone un peu trop lyrique («hypersensitif, un peu fou, idéaliste», songea-t-il).

— Et tu sentais déjà un peu tout cela... avant d'inventer ton ampli?

— C'est ce qui a orienté mes recherches! Et tu viens de voir le résultat: une puce de deux millimètres. Biocompatible. J'ai cultivé celle-ci à partir du prélèvement de tes cellules, convenablement modifées. Maintenant, si je te l'implante au cerveau, au bon endroit, la greffe va tenir. Tu es toujours intéressé?

— Je me retrouverais avec... des facultés améliorées?

— Oh, une seule, n'attends pas de miracles! La puce n'est pas un appareil très perfectionné, elle est à l'essai, et jusqu'ici je suis le seul à en porter une. C'est un ampli assez faible, qui agit dans une fenêtre étroite du spectre de tes perceptions. Il permet de sentir les ambiances, et d'en analyser les composantes. À 100 000 km, tu peux identi-

fier le caractère général d'une planète: belliqueuse...
bucolique... ou autre. À 75 km, tu isoles une portion de
continent; à 5 km, une ville. Au sol, malheureusement, les
impressions deviennent beaucoup plus confuses. C'est
qu'il est difficile de saisir les grandes lignes d'un système,
quand on y est plongé.

— Excellente remarque, approuva Voyag à sa façon
froide et pragmatique. Mais si je dois effectuer un voyage
d'étude pour toi, en portant cette puce au cerveau, que
devrai-je faire? À quoi sert ton ampli, somme toute?

— Il sert à prendre conscience de certains phénomènes collectifs. Il peut être utile de savoir qu'un trait
dominant sur une planète n'existe pas au même degré
ailleurs. Ou qu'une tendance dont on est à peine conscient
se développe aussi un peu partout à l'autre bout de la
planète. Ou que, de tout ce qui se passe dans ta tête,
80%, 90% t'est communiqué par l'ambiant. Tes idées, tes
tendances ne t'appartiennent pas; elles appartiennent au
lieu, à l'époque, aux groupes dont tu fais partie. J'aimerais
que l'ampli serve aux gens et aux sociétés à se connaître,
à corriger ce qui peut ou ce qui doit l'être, mais c'est difficilement réalisable. Il n'est pas question de distribuer des
puces. Je me voyais déjà courant de planète en planète
pour *parler* aux gens, les aider. Mais ils ne veulent pas
qu'on leur *parle*.

— Monsieur, votre planète pue, railla Voyag.
Voulez-vous changer vos mentalités s'il vous plaît?...
Monsieur, je vous apprends que 95% de vos pensées sont
ambiantes. Votre individualité, c'est le 5% qui reste.

— Ne ris pas. Plutôt que d'admettre qu'ils ont tous
les mêmes idées en même temps, les gens préfèrent se
croire victimes d'un complot d'injection télépathique
d'idées, ourdi par le pays d'en face ou un groupe extraterrestre. Je veux bien leur dire ce que je sais, mais à qui
dois-je m'adresser? Aux individus? Lesquels? Une
planète, c'est immense. Aux groupes? Les gouvernements

planétaires n'existent encore nulle part, et je ne voudrais pas que ma puce devienne un instrument d'espionnage entre partis ou puissances, ni un fétiche pour illuminés. Aussi, pour le moment, disons qu'elle ne sert à rien et à personne. N'en parle jamais, si tu effectues ce voyage. Mais reste encore à savoir si c'est possible. Il me semble que oui. Ton VS, c'est bien un escamotable?

— Mon vaisseau spatial est doté des tout derniers perfectionnements.

— Incroyable! Et tu voyages toujours seul?

— Oh non! Une fois sur deux, peut-être. Mais pour le moment, oui. Je suis sans amour et sans contrat.

— Et tu connais mal le secteur où je veux t'envoyer?

— Même mes banques de données sont restées muettes!

— Et je ne t'en dirai pas davantage. Car voici ce que je veux: tu vas étudier les ambiances de cinq planètes par lesquelles je suis déjà passé. Nos relevés d'ambiance devraient concorder, et les tiens ne seront pas déduits de connaissances préalables des lieux. De mon côté, j'ai survolé quatre des cinq planètes en détail, à 75 km, en prétextant des études climatiques. Je n'ai atterri nulle part. Tes expériences vont donc compléter les miennes: tu vas noter tes impressions en orbite, d'assez loin, et tu feras un séjour sur chaque planète. Ta puce étant une version améliorée de la mienne, j'en espère de meilleures performances, surtout au sol.

— Je comprends, dit Voyag, toujours aussi sèchement, mais la mission lui plaisait; Lizone, contrairement à beaucoup de donneurs d'ouvrage, ne le prenait pas pour un imbécile, et lui offrait une grande liberté d'action.

— Répartis la durée des séjours selon tes goûts, répétait Lizone, mais visite les cinq planètes. Nous nous donnerons rendez-vous dans un an, sur ton VS. Tu m'en transmettras les coordonnées.

Les yeux de Voyag brillaient. Lizone remarqua pour

la première fois qu'ils étaient bleus, ce qui était extrême-ment rare, pour un Terrien.

□

Ksi Puppis IV, Bêta Velorum IV, 42 Velorum I (a) et (b), Delta Pyxidis III: tel était le circuit proposé par Lizone. Cinq planètes à découvrir. Heureux de l'aventure, Voyag était déjà plongé jusqu'aux oreilles dans ses calculs d'approche, et cherchait à quel système solaire laisser le module principal de son VS, pendant qu'il ferait la navette d'une planète à l'autre avec la meilleure économie possible d'années-lumière.

Un observateur aurait ri aux larmes de le voir travailler; en fait, n'aurait pas deviné qu'il travaillait. Il valsait. D'un pas cadencé et sûrement essoufflant, il tourbillonnait apparemment sans but dans le *cocon,* petite pièce ovoïde au confort suggestif, la plus extravagante de son extravagant véhicule. Mais le plus curieux étaient les gestes de ses mains. C'était une gymnastique incessante. Une position très précise et très spéciale des doigts succé-dait à une autre non moins étrange: subtils changements d'angles, variations du pli des phalanges, attouchements légers, contractions des paumes. En outre, Voyag parlait tout seul, semblait entendre des voix et y répondre, marmottait des calculs, des noms d'étoiles, des comman-des informatiques et des jurons.

Qu'un vif-argent pareil vive seul, il ne fallait pas s'en étonner. En fait, il n'éprouvait pas le besoin de garder longtemps ses partenaires. Séduisant, il préférait savourer toutes les expériences sexuelles brèves, au choix d'ailleurs assez touffu, que lui offrait la galaxie. Mais une passion supplantait pour lui tout le reste: il était un maniaque de la technique — et certes il fallait l'être pour voyager seul.

Vivre avec des machines, les programmer, les combi-ner, exploiter leurs ressources et déjouer leurs caprices: voilà ce qu'il aimait. Il s'était bâti, autour d'elles, un mode de vie bien à lui. Décrocher de temps à autre un contrat de pure cuisine informatique, pour les centres de recherche ou les Installations industrielles intragalactiques (les Troizi); se faire payer en matériel électronique ou en droits d'exploitation sur toutes les ferrailles abandonnées en orbites dépotoir autour de satellites morts: voilà qui décrivait bien ses activités officielles.

Mais il avait aussi à son actif un incroyable répertoire d'excès et de records inégalés. Son escamotable, il l'avait construit lui-même. Les langages de programmation que les autres manipulaient par écrit, lui les *parlait* couramment. Son cerveau avait intéressé deux ou trois savants connus (dont Lizone); sa réputation et ses vols de matériel l'avaient habitué à changer de nom aussi souvent qu'il changeait le mobile de son VS.

Le mobile était le petit module d'atterrissage avec lequel il se présentait partout. S'il n'en avait pas changé souvent, il aurait fini par «s'annoncer» de loin, comme un fils à papa mauvais garnement qu'on identifie à sa Spazio-Ferrari jaune cocu. Voyag n'arrivait pas à être discret. Il s'appelait Voyag pour le moment; c'était un surnom, bien sûr — et seuls quelques Terriens pouvaient en goûter le sens.

Sa liste d'excès ne s'arrêtait pas là. Il était l'actif possesseur d'une collection de gadgets électroniques aussi complète et cosmopolite que possible. Il avait tout et se servait de tout, interfaçant la quincaillerie la plus superflue avec les appareils les plus nécessaires — sa façon à lui de viser la perfection.

Il était aussi l'une des très rares personnes à toujours porter sur lui, normalement à son casque, deux pico-ordinateurs puissants, dont les périphériques d'entrée et de sortie étaient implantés sous sa peau.

— Ton histoire d'ampli au cerveau ne me fait pas peur, avait-il dit à Lizone en riant, lorsqu'il avait été question d'implantation. J'ai déjà *une puce à chaque oreille,* et des commandes aux mains. Et crois-moi, c'est la chirurgie aux mains qui est la plus douloureuse, parce qu'on m'a presque mis un senseur au bout de chaque nerf.

Il était allé jusque-là, pour le plaisir d'épouser les derniers raffinements technologiques. Pour transmettre une commande à l'un de ses picos, il lui suffisait de quelques mouvements bien définis des doigts, et l'ordinateur réagissait comme à une télécommande ordinaire. Par les émetteurs de ses oreilles, Voyag recevait les messages et les réponses de la machine, transmises à son tympan par une voix aux intonations très légères. Il en avait eu peur, la première fois qu'il l'avait entendue.

Voyag, donc, était plongé dans ses calculs jusqu'aux oreilles.

— C'est à Delta Pyxidis que j'aimerais aller d'abord, puisque c'est le seul endroit que Lizone n'a pas vu en détail, marmotta-t-il en épelant le nom de l'étoile à ses picos.

Celui de gauche calcula les paramètres d'approche et celui de droite signala la présence de données nouvelles, cueillies par un discret pillage de banques de données locales. Voyag lui fit signe de parler.

— Delta Pyxidis III, répondit le pico: Densité de population la plus élevée de la galaxie. Surnommée la planète Quarantaine, pour sa tendance à l'isolement. Idéologie dominante: le puritanisme.

— Horreur! Le poil m'en dresse! s'écria Voyag, hérissé en effet. Je vois d'ici les Quarantains! Xénophobes, claustrophobes, le visage et le sexe figés dans la métaphysique! Compris! J'irai, mais à la toute fin!

«Au fait, pourquoi Lizone n'a-t-il pas survolé cette planète en détail? songea Voyag. Ah oui! Il utilisait sa puce pour la première fois... L'ambiance lui a paru si bizarre qu'il a eu peur de descendre. Hum! Cher Lizone. Hypersensitif, et pas très très brave. Mais il me paie pour visiter cinq planètes, sans autre obligation que de rédiger des rapports...»

«Des vacances, quoi», se félicitait Voyag. Car il ne craignait pas d'être dérangé nuit et jour par des perceptions d'ambiance frisant l'extra-sensoriel et la schizophrénie: lors du séjour d'essai qu'il avait fait avec Lizone sur une planète peu peuplée, il s'était rendu compte que sa puce, si péniblement implantée, ne fonctionnait pas. Hors du tohu-bohu habituel de ses propres sensations, Voyag n'avait absolument rien perçu.

«J'aurais eu mal au crâne dix jours pour rien! Et mon contrat serait à l'eau! s'était-il dit. Ah mais non!»

La puce était morte, mais il n'en dit rien. Lorsque Lizone lui demanda ses impressions, Voyag fit mine d'hésiter et, mains derrière le dos, gigota quelques commandes; la banque de données de son pico de droite lui souffla tout ce qu'elle possédait d'information sur la petite planète... et le génie intuitif de Voyag fit le reste: il inventa des ambiances plausibles et Lizone goba tout.

— Si je l'ai fait une fois, je le ferai bien pendant tout le périple, triompha Voyag, qui se laissa aller à un état d'autofélicitation prolongé.

Son pico de gauche lui ayant suggéré un système solaire pauvre en comètes, aux confins duquel il pourrait laisser son VS en orbite de sûreté, Voyag en transmit les coordonnées à Lizone, obtint son autorisation de décollage, et le voyage commença.

□

— Ça va mal... MAL! s'exclama Lizone à bout de nerfs, et sa femme ne réagit même pas, tant elle était découragée elle aussi.

— Nous partons rejoindre Voyag dans quatre jours, dit-elle à voix contenue. Il ne faudra pas revenir ici, c'est tout.

— Tout abandonner? gémit Lizone. Le centre de recherche, nos carrières, nos collègues, la seule chance de développer mon invention avec des crédits assez ouverts... mais si nous abandonnons, où irons-nous?

— Tu préfères qu'ils t'obligent savamment à rester ici et à travailler dans le sens qu'ils désirent? Ou qu'ils te mettent à la porte nu comme un ver à la première querelle? Nous avons encore un VS à notre disposition et ils ne se doutent de rien. Il s'agit de fuir, Lizone. Tu as gardé l'affaire Voyag secrète: profitons-en. Allons le rejoindre; et vite, s'il est en danger comme tu crois; et ensuite, disparaissons, avec le plus de documents et le plus de matériel possible, en espérant que les autres seront incapables de poursuivre les recherches.

Lizone s'assit, la tête entre les mains.

— Ils veulent une machine à lire les pensées, dit-il amèrement, et ils croient que mon ampli peut en devenir une. Je n'aurais jamais cru...

— Lizone, tu as été un peu naïf. Pourquoi ont-ils été si généreux dans l'octroi des subventions, à ton avis?

Lizone n'écoutait qu'à demi, et regardait la salle de travail du VS. En faire son habitat pour des mois, des années? Tout cela à cause de deux ou trois savants ambitieux?

— Je leur ai bien expliqué, pourtant, dit-il, que ma puce ne permet de bien identifier les ambiances que si elles sont anciennes et bien ancrées. Les phénomènes nouveaux sont à la limite de perception de ma puce. Si elle lisait les pensées, elle serait bien handicapée de ne pouvoir les capter au moment où elles surgissent... Je leur ai expliqué les propriétés de l'ampli, et ils ne veulent rien comprendre!

— Lizone, admets-le: on ne te croit plus quand tu parles des propriétés de ta puce, depuis l'essai de l'autre jour...

— L'essai a révélé que je me suis trompé grossièrement sur certains points, c'est vrai. Je porte un amplificateur depuis des années sans aucun inconvénient: j'ai cru qu'il en irait de même pour tout le monde!

— Mais pourquoi le volontaire qui a fait l'essai a-t-il mal réagi?

— Je suppose que cela tient à certains caractères individuels, physiologiques ou psychologiques, je ne sais pas. Ou alors, c'est la puce elle-même, version deux, qui est mal conçue.

— Et Voyag? Que risque-t-il vraiment? Est-ce si grave?

Lizone s'était calmé, comme toujours quand il se confiait à Merklind. Aussi ce qu'il dit, énoncé posément, n'en parut que plus alarmant:

— Au lieu de capter les ambiances et de les regarder défiler passivement et de les identifier au passage, comme moi, Voyag ne sent rien, absolument rien. Mais les ambiances entrent en lui comme des virus. Toutes les tendances les plus accusées des sociétés qu'il va visiter, il va les incorporer à son psychisme. Toutes les pensées et les idéologies répandues, il va les embrasser, ensemble, sans discrimination. Tous les états d'esprit qui rabaissent les humains, ou qui les survoltent, il va les ressentir, amplifiés. J'aurais dû me douter de tout cela plus tôt. Après tout, rien n'est plus contagieux qu'un état d'esprit.

— Mais Voyag va sûrement résister, ne pas se laisser imprégner...

— Peut-on résister à un virus ambiance, Merklind? Les habitants d'une planète peuvent-ils éviter tout à fait les mentalités qu'imposent leur époque, les lieux où ils vivent? Non. Ils ont tous les mêmes idées en même temps. Ils ont les mêmes mythes, les mêmes rêves; des craintes communes, des passions semblables, des préjugés identiques. Ils ne peuvent pas résister. Ou encore: mets une personne qui s'est levée de bonne humeur au milieu d'une foule maussade, tassée, pressée, qui attend, qui a sommeil; comment se sentira-t-elle après seulement une demi-heure d'exposition à cette ambiance? Maussade, pressée, impatiente et fatiguée. Je doute que

Voyag soit un esprit assez fort pour résister aux virus qu'il trouvera sur son chemin. Veux-tu savoir ce qui va le menacer?

Lizone entra dans sa chambre et trouva dans un tiroir les notes qu'il avait prises lors de sa tournée des cinq planètes. Avec Merklind, qui l'avait suivi, il resta penché au-dessus du tiroir ouvert, tout en parlant et en feuilletant les pages à petits gestes furieux.

— Tiens... sur Ksi Puppis IV... Beaucoup d'habitants de cette planète sont pris, depuis peu, d'une obsession de violence. Ils ignorent encore que plusieurs pays sont touchés. Mais la violence est devenue omniprésente en eux. Leur art et leur humour en sont teints. Au moins dix conversations par jour et deux rêves par nuit sont consacrés à des thèmes sadiques et sanglants. Ils se délectent à imaginer des accidents fracassants, des scènes d'agression. Ils trouvent très *drôle* d'inventer en esprit des façons de détruire les objets ou de faire mal à quelqu'un. Amplifiée, cette obsession conduit tout droit à la violence réelle, j'en ai peur. De la pensée à l'acte. Voyag aura peut-être envie de démolir ses machines; ou même, il le fera.

— Tu exagères...

— Non! Et le pire, c'est que ses acquisitions mentales seront permanentes, ou très difficiles à déraciner. Et il sera envahi d'impulsions et de phobies contradictoires. Aucun psychisme ne saurait résister à pareille surcharge. Voyag risque de perdre la raison. À mon avis, lorsque nous arriverons au rendez-vous, il n'y sera pas, et il s'agira de le trouver.

— Mais, en bref, quelles sont les caractéristiques des cinq planètes?

— Écoute bien: 42 Velorum I (a) et (b) sont des planètes jumelles, d'orbites très voisines. Elles sont menacées de guerres nucléaires et de bouleversements climatiques. Fait étrange, un sursaut de l'instinct de conservation porte les gens à faire, massivement, du conditionnement physique, parce qu'ils pressentent que seuls survivront, après la catastrophe, les plus forts. Les gens ont également une peur maladive du climat. Comme ils vivent sur une terre étouffante, ils sont dégoûtés de tout; de leur travail, surtout. Ils éprouvent, même sans raison, une fatigue physique pesante; ils n'ont pas d'énergie. Leurs ressources naturelles commençant à manquer, ils sont obsédés de nourriture, ils ne pensent qu'à manger, ne parlent que de manger... Étant oppressés par le présent, ils s'évadent à leur façon en se laissant envahir à un point excessif par leurs souvenirs, et en agissant avec une insouciance, une désinvolture qui frise l'inconscience. Je ne sais pas ce que Voyag fera de tout cela...

— Et les autres planètes?

— Parlons de Bêta Velorum IV: en apparence c'est un endroit très agréable. C'est le haut lieu des penseurs, de la recherche pure. Les nations sont gouvernées par des élites de savants et de philosophes. Mais la plaie de cette planète, c'est que la prison y est appliquée à presque tous les genres d'excès. Tous ceux qui ne sont pas attirés morbidement par les prisons ont une peur atroce d'y être enfermés. Tous ceux qui ne songent pas aux façons les plus variées de priver les autres de liberté se perdent en projets d'évasions collectives. Et ce n'est pas tout. Les gens ont des tendances suicidaires marquées. Et depuis peu, s'est levé chez eux un mouvement dévastateur de libération sexuelle, qui va se heurter à l'intolérance des autorités. Mettre tout cela ensemble en une seule personne... je n'ose même pas imaginer le résultat.

— Et Ksi Puppis IV?

— Ses traits dominants peuvent devenir désastreux. Il y a l'obsession de la violence... De plus, les gens là-bas sont frustrés. Je veux dire que la frustration est une réaction hyperfréquente chez eux, dans des cas où, ailleurs, on réagit autrement. Et les gens ont des goûts contradictoires: un sens aigu du territoire et de la propriété, mais aussi la passion des voyages... Ils sont politisés et frustrés, donc contestataires. Politisés et portés à vivre et à tout faire en petits groupes, donc très divisés... et très racistes.

— Ce n'est pas très encourageant. Et Delta Pyxidis?

Lizone eut un hochement de tête inquiet.

— Delta Pyxidis... fit-il, songeur. C'est le cas le plus troublant. J'espère que Voyag fera comme moi, qu'il aura peur et qu'il n'ira pas. Ce que j'ai senti là-bas était inidentifiable. Des phénomènes bizarres ont lieu, depuis peu, c'est tout ce que je sais. Une forme de... de chaos semble s'installer, et gagne tout.

D'un geste brusque, Lizone referma le tiroir et regarda attentivement les murs, la pièce, essayant de capter sa vague, très vague ambiance. Une fois dans le vide de l'espace, il ne resterait plus, de l'animation humaine, que ce mince reflet tremblotant, qui succomberait bientôt. Ce serait si morne, après les trépidations de la vie planétaire. Mais Lizone était décidé: oui, il allait partir, et pour de bon.

☐

De planète en planète, Voyag rafla une bonne trentaine de virus ambiance, et il ne se rendit compte de rien. Après tout, il ne songeait même plus à la puce, puisqu'elle ne fonctionnait pas. Sa seule intention était de vagabonder juste assez pour se sentir en vacances, et de fureter juste assez pour arriver à rédiger des rapports convaincants sur «l'atmosphère» des lieux qu'il visitait.

Ses sages intentions furent déjouées dès qu'il eut bouclé une orbite autour de Ksi Puppis IV. On lui refusa l'atterrissage, dès qu'on sut qu'il était d'une race barbue à peau pâle. Il s'obstina pendant au moins quinze tours du globe à contacter pays après pays pour obtenir droit de pied à terre, et il engueula les contrôleurs de l'espace qui naturellement lui dirent non avec divers raffinements de mépris.

Et bien sûr, quand Voyag s'éloigna de la planète raciste, il ne s'étonna pas de se sentir frustré et d'avoir envie de démolir quelque chose, même l'une de ses précieuses machines. Il ne s'étonna pas de ressentir plus que jamais le besoin de bouger et de voyager; il ne s'interrogea pas sur une impulsion subite qui lui vint, de devenir membre d'une association politique de sa connaissance, qui militait contre le racisme. Il ne se méfia pas non plus quand il fut pris, pendant qu'il orbitait encore autour de la planète, du désir convulsif d'avoir de la compagnie, et d'habiter quelque temps non pas avec une partenaire amoureuse comme il le faisait souvent, mais avec un petit groupe chaud et amical, ou davantage.

En fait, il avait attrapé sans le savoir tous les virus de Ksi Puppis IV. Contre certains, son psychisme avait de vigoureux anticorps. Le racisme, par exemple, fut pulvérisé dans sa tête avant de trouver où s'accrocher: Voyag avait trop aimé, trop cajolé de corps différents, et s'était trouvé trop d'attachements dans toutes les cultures pour donner prise à une vulgaire contagion. D'autres virus s'intégrèrent très bien à sa personnalité; le goût maladif des voyages, il l'avait déjà; le sens aigu de la propriété cadrait avec son amour maniaque envers *ses* machines et *son* VS. Mais le reste était plus insidieux, et surtout plus dangereux.

La personnalité de Voyag fut bientôt un foyer de braises ardentes. Obsédé de violence, frustré pour un oui pour un non (et aussi pour un *peut-être,* un *si,* un *mais,* un *plus tard* bien ou mal placés), il débarqua sur Bêta Velorum IV, terre d'intellectuels pacifistes et de penseurs amis des *si* et des *mais.* Il arriva avec l'envie de se mêler de politique, sur cette planète qui était le royaume des oligarchies rigides et le haut lieu de tristes obsessions, celles des prisons et du suicide. Il arriva piqué du désir de s'entourer d'un petit groupe, là ou venait de s'amorcer, dans tous les pays à la fois, un mouvement irrésistible de libération sexuelle, très mal vu des gouvernants.

En prévision d'un long séjour, il remisa son mobile, se procura un véhicule terrestre et erra de ville en ville, et franchit même quelques frontières. Il ne tarda pas à attirer sept ou huit écumeurs et écumeuses de route, jeunes gens bohèmes et intellectuels qui formèrent autour de lui un petit clan selon son désir: chaud... et même brûlant. Car le virus de la libération sexuelle, injecté à un homme d'excès et de records comme Voyag, ne pouvait que le conduire à un excès d'excès, et à pulvériser ses records. Il vécut bien dix journées de jouissances orgiaques, qui pourtant le laissèrent inexplicablement frustré. Il déniaisa son groupe, le mua sans y prendre garde en noyau de contestation politique, fut remarqué des autorités, arrêté, détenu deux jours, transféré et retransféré jusqu'à en ignorer totalement où il se trouvait et ce qu'on voulait faire de lui, car on lui avait confisqué sa machine à traduire, et il passait toujours de prisons souterraines en véhicules clos. Finalement il se retrouva dans la ville de son arrivée, et on l'expulsa de la planète avec beaucoup de civilité, mais peu d'excuses.

La première chose qu'il fit en rentrant au module principal de son VS fut de déchirer en menus morceaux la vingtaine d'appels à l'aide (un par jour) qu'il avait envoyés en gigotant discrètement des doigts pour activer ses picos, lesquels à leur tour avaient actionné dans le mobile un émetteur tachyonique intelligent, qui s'était mis en mode de recherche de canal, avait piraté deux ou trois antennes sur Bêta Velorum, et avait acheminé les SOS à vitesse supraluminique. Lizone les aurait trouvés sur l'imprimante principale, en arrivant au rendez-vous. Voyag ne se félicitait jamais assez de posséder tant de fins gadgets.

Il avait eu peur; mais il réagissait très sainement à ce

genre de mésaventures, et elles passaient sur lui sans laisser de séquelles... ni inscrire de leçons. Ce n'était pas la première fois qu'il avait de petits ennuis et passait quelques jours en prison; il ne changeait pas de nom tous les deux ou trois ans pour rien.

Voyag prit donc pour acquis que son séjour sur Bêta Velorum ne l'avait pas marqué... mais c'était compter sans la puce, et son efficacité presque absolue. Les tendances de Bêta Velorum, moins le suicide, s'addition-nèrent à celles de Ksi Puppis, moins le racisme, et toutes s'ajoutèrent à celles, déjà élevées à une puissance non négligeable, de Voyag lui-même; le résultat fut une bousculade de désirs et de besoins qui se disputèrent sa personne et ses pensées, et occupèrent de plus en plus de place, accaparant son temps et ses forces. Et il ne se rendait toujours compte de rien.

Il fit un long séjour sur 42 Velorum I (a) et (b), et trouva les planètes jumelles agréables et pleines de vie, malgré la menace de catastrophes nucléaires, de guerres, de famines, de désastres sismiques et d'éruptions volcani-ques et de bouleversements climatiques; tous ces hics le dérangèrent moins que la chaleur et l'aspect du soleil, qui brillait d'un jaune déjà un peu trop mûr, et semblait toujours sur le point de pulser.

Voyag différait son départ, car il voulait abréger sa visite sur Delta Pyxidis, et courir sitôt après au rendez-vous. Cela allait ajouter du piquant au voyage: pour se rendre sur Quarantaine, il serait forcé de prendre d'audacieux raccourcis dans l'hyperespace. Son algorithme d'appro-che allait compter cent vingt-sept escamotages; sa trajec-toire ressemblerait au zig-zag déroutant d'une luciole s'allumant cent vingt-sept fois, au lieu d'égratigner le ciel des traditionnelles hyperboles s'éteignant à quatre ou cinq reprises, timidement, hors de l'espace connu.

Voyag arriva à Delta Pyxidis fier de lui et assez insou-ciant, mais ce n'étaient là que deux des états d'esprit qui clignotaient en lui et fluctuaient, reculaient, s'imposaient, se fondaient parfois, s'intersectaient en se nuisant, et l'habitaient sans qu'il songeât à résister.

De Ksi Puppis IV, le virus «voyages» ne lui permettait pas de tenir en place, le virus «propriété» le liait plus que jamais à ses machines, et le besoin de vivre avec d'autres grugeait son besoin de solitude et était grugé par lui. De Bêta Velorum IV, la terreur d'être privé de liberté l'obsédait sans qu'il voulût se l'avouer, et de nouvelles habitudes de réflexion essayaient frénétiquement de se frayer un chemin en lui. Et de 42 Velorum I (a) et (b) lui venaient parfois, en désordre, le dégoût du travail stupide qu'il accomplissait (mal) pour Lizone, et un appétit féroce, et une sainte terreur de la pluie, des nuages et des orages; et par-dessus tout cela il éprouvait une fatigue physique intense, qui l'empêchait de déceler sa fatigue mentale.

Mais ceci n'était que la gentille agitation des virus les moins tenaces. À d'autres tendances, Voyag avait été plus vulnérable. La violence maintenant faisait partie de lui, et pour un rien il était pris de visions agressives de marteaux-pilons écrasant tous les indésirables de la galaxie, ou se sentait frustré comme si on avait tenté de lui arracher un jouet. C'était l'héritage de Ksi Puppis.

D'autre part, il était plongé, sexuellement, dans un état de manque qui ne cessait de s'aggraver, et le moindre stimulus l'élevait aussitôt à la griserie. C'était l'héritage de Bêta Velorum. Les planètes jumelles lui avaient inoculé aussi leurs virus, et Voyag sans savoir pourquoi était saisi, à tout moment, d'incroyables bouffées d'insouciance, ou fasciné malgré lui par d'obscurs souvenirs d'enfance ou de voyages lointains.

Il arriva donc sur Delta Pyxidis, ennuyé et frustré parce qu'il allait devoir s'embarrasser d'un lourd correcteur d'air; il reçut les injections d'usage, fut photographié par les machines anthropométriques, et accueilli par une femme petite et sombre, aux yeux noirs. C'était le «chef

des douanes». La machine à traduire sembla hésiter longtemps avant de préciser ce titre; Voyag insouciant n'y fit
pas attention.

II

Les filles remontaient jusqu'au cou la fermeture à glissière de leur uniforme coupe-vent, abaissaient leur casque et en ajustaient le poids avec des roulements d'épaules d'ourses repues. Puis, chaussant leurs patins motorisés, elles s'élançaient sur les sentiers sillons, emportant un à un les instruments... vers un entrepôt inconnu.

Voyag regardait partir tout le matériel qu'on lui confisquait et se tournait, agressif, vers la douanière... puis revenait aux adolescentes, fasciné malgré lui par d'obscurs souvenirs discos de filles en patins à roulettes, et vaguement poursuivi par des réminiscences plus lointaines... rallyes tout terrain où, motard de douze ans, il enfilait d'invraisemblables cothurnes propulsés par des fusées miniatures, et avalait vallons, raidillons et tourbières, dans les hoquets glorieux des cahots, du vent et des éclaboussures.

— J'aimerais bien essayer ces engins-là, confia-t-il à la douanière.

Il disait n'importe quoi, pour meubler un silence devenu gênant — et pour voir si la machine à traduire fonctionnait mieux qu'à son arrivée. Il avait dû retoucher deux programmes. Mais le message passa, car la douanière se récria, avec un recul rieur de tout le buste:

— Vous voudriez essayer les *maisonnettes* (drôle de traduction pour «patins», songea Voyag; encore un problème!)... mais voyons, vous êtes beaucoup trop lourd!

Ce moyen de transport est réservé aux jeunes gens de...

Il y eut un délai puis, après une longue recherche dans sa banque d'équivalences culturelles, la machine à traduire compléta:

— ... de taille jockey.

«Pas mal», songea Voyag, quand on sait qu'il n'y a probablement rien sur cette sombre planète qui corresponde à des courses de chevaux.

Il nota aussi avec agacement que la douanière, en évaluant sa taille, avait été trompée par la lourdeur du costume spatial standard. Le vêtement raide et informe, destiné à cacher les différences entre races humanoïdes et à minimiser le racisme à vue, ne révélait pas que Voyag était classé tantôt poids-plume, tantôt poids-coq. Le costume camouflait aussi les attitudes, et marquait certaines réactions du corps. Voyag en était frustré, car ainsi la douanière ne pouvait pas voir à quel point elle le séduisait. Il enleva donc le vêtement et apparut à son avantage, en tenue de ville blanche et grise, moulante et seyante.

— Vous êtes programmeur de profession? demanda alors la douanière, avec une grâce insinuante qui n'allait pas du tout avec la question. («Elle a vu!» triompha Voyag.)

Et il lança son oui le plus viril, ajoutant qu'il était technicien, recycleur de matériel, testeur de puces, débrouilleur de logiciels et pilote d'escamotable. La machine à traduire buta inexplicablement sur le «d'escamotable» (le nom du véhicule était pourtant le même dans toutes les langues!); le processeur eut recours à une analyse interlangue dont le résultat fut *desk-à-mot-table,* et synthétisa une locution invraisemblable à l'oreille de la douanière, qui eut un autre recul de tout le buste.

— Votre machine à traduire fonctionne encore très mal, dit-elle.

— Comme toutes les... commença Voyag, énonçant

machinalement un très vieux cliché.

— Pourriez-vous encore tenter de la reprogrammer? l'interrompit la douanière, d'une voix plus aguichante que jamais.

— Bien sûr, se rengorgea Voyag. Comment vous appelez-vous? ajouta-t-il en activant d'un geste son module d'aide à la programmation.

— Douai (Douée?), fit la douanière d'une voix chaude.

Voyag fut dérangé dans sa griserie en apercevant à demi, entre les montages à claire-voie qui hérissaient son casque, une autre douzaine de patineuses qui arrivaient. Non, deux douzaines. Elles s'affairaient, fourmis toujours plus nombreuses, à l'intérieur du mobile. Voyag avait accepté à contrecœur d'entreposer à la douane sa collection de gadgets, dont Quarantaine refusait Dieu sait pourquoi l'entrée; mais que faisaient les filles? Voyag eut l'impression qu'elles emportaient trop d'instruments. Mais une bouffée d'insouciance lui monta à la tête avec les premières griseries de son sexe, et il ne songea plus qu'à étaler son savoir-faire d'informaticien. Annonçant à mesure chaque opération, il relia son pico de gauche à la machine à traduire, sans les décrocher de son casque, et se mit à effectuer des tests et à modifier prudemment les programmes, sous l'œil scrutateur de la douanière.

La défectuosité intriguait Voyag. Les machines à traduire tombaient parfois en panne, mais il était rare d'y détecter un défaut de programmation; leur logiciel, chef-d'œuvre d'ingéniosité et de complexité, était rodé depuis longtemps. Or Voyag avait dû modifier un programme qui pourtant fonctionnait sans faillir depuis qu'il possédait la machine, et avait dû également bousculer des pointeurs au dictionnaire quarantain que lui avait remis la douanière à l'arrivée, sur cassette, selon l'usage.

Le logiciel était divisé en plusieurs blocs, et cette fois Voyag entreprit de tout réviser. Il vérifia le logiciel de transfert, le même pour toutes les paires de langues, qui effectuait la traduction proprement dite suivant de grands algorithmes inaltérables; il n'y trouva aucune faille. Il testa ensuite les dictionnaires de chaque langue et les programmes d'analyse et de synthèse grammaticales propres à chacune, qui s'intégraient au logiciel de base, sitôt les cassettes introduites dans le processeur; la table de correspondance entre les dictionnaires était alors générée automatiquement.

Voyag décela d'autres anomalies au dictionnaire quarantain.

— Est-ce une cassette standard? dit-il. La compatibilité est douteuse.

— Et vous, êtes-vous certain que votre machine soit standard? rétorqua la douanière. Je n'en ai jamais vu de pareille.

— C'est le dernier modèle, c'est tout, protesta Voyag frémissant de frustration comme si on venait de lui enlever un jouet.

«Ces Quarantains ne voient pas assez de pays ni assez d'étrangers, bougonna-t-il pour lui-même. S'ils mettaient plus souvent le nez au-dessus de leur mésosphère, ils en verraient, des machines neuves.» Et il songea au modèle perfectionné et volumineux qu'il avait laissé dans son VS: un appareil de luxe, multilangue, qui permettait à six interlocuteurs hétérophones de conférer ou de bavarder à leur aise. Son virus de propriétaire s'agitant à cette pensée, Voyag regarda encore, maussade, les filles qui détalaient avec ses machines; puis il revint à ses tests.

— Voulez-vous me répéter le nom de ces véhicules? dit-il à la douanière en désignant les patineuses.

— Des *abrasifs*, répondit Douai.

— Tout à l'heure, c'était des maisonnettes, nota Voyag. Voulez-vous répéter? Comment s'appellent ces véhicules?

— Des *atouts*.

— Répétez encore.

— Des *vagins*.

— Répétez, gloussa Voyag, très stimulé. Répétez le mot, sans arrêt.

— *Ballade, hypoténuse, lanterne, formulaire, liste, ajustement,...*

— La satanée machine fournit une traduction différente chaque fois.

— *Maladie, synthèse, recherche, asymptote,...* continuait Douai.

L'exercice se prolongea plusieurs minutes; Voyag fit durer la litanie jusqu'à ce qu'il entendît enfin le mot *patin*.

— Voilà! triompha-t-il. Je m'en doutais. C'est un processus cyclique. Une bonne proportion des mots du dictionnaire sont décalés à la traduction vers un autre équivalent. A est remplacé par B, B par C,... et ainsi de suite jusqu'à... oméga, qui est remplacé par A. C'est une simple boucle, un petit accrochage; je vais réparer cela.

Voyag programma rapidement une correction en jouissant de l'attente, visiblement anxieuse, de la douanière.

— Voilà! annonça-t-il sitôt son pico débranché. Nous allons faire une petite vérification, par acquit de conscience. Redites le mot.

— *Accablement,* fit la douanière.

Ce à quoi Voyag répondit par le plus vigoureux juron de son répertoire, tout en ayant des visions agressives de marteaux-pilons écrasant toutes les machines à traduire de la galaxie. Accablement, en effet... Il fit répéter le mot récalcitrant à Douai, et remarqua que le cycle, cette fois, ne touchait plus les mêmes entrées du dictionnaire.

— C'est plus compliqué que je ne croyais, avoua-t-il. Mais je vais insérer un programme de détection qui viendra à bout du problème...

— Vous pouvez corriger ces programmes, n'est-ce

pas?! s'exclama Douai, hystérique, et Voyag se demanda pourquoi elle criait ainsi.

— J'y reviendrai, dit-il. Je veux d'abord tester les autres modules.

Il y avait en effet plusieurs modules accessoires: l'analyseur et le synthétiseur de voix; le régulateur prosodique qui dosait l'accent tonique et l'intonation; la banque d'équivalences culturelles qui trouvait des traductions approximatives aux mots désignant des réalités uniques (un piano sur Terre ressemblait à un *aldlen* sur Ksi Puppis... et un jockey terrien valait bien, en centimètres, une patineuse quarantaine). Il y avait aussi le décodeur d'allusions, banque de faits qui donnait à la machine une connaissance historique et encyclopédique du monde, et lui permettait de déterminer, dans certaines conversations peu explicites, de quoi l'on parlait. Il y avait aussi le calculateur, qui transformait les unités de mesure d'une planète en celles d'une autre. Un module traitait les noms propres, mots étrangers et autres «intouchables» qui devaient rester identiques d'une langue à l'autre. C'était à ce dernier module que Voyag voulait s'attaquer d'abord, car il lui avait paru défectueux.

La douanière cependant s'impatientait, et échangeait toutes sortes de signes avec les patineuses et les fonctionnaires qui circulaient d'un pavillon à l'autre, ou mettaient parfois le nez hors d'un bureau. Voyag fut distrait un moment et en oublia ce qu'il voulait vérifier, fasciné malgré lui par d'obscurs souvenirs de douanes logées dans des bâtiments sommaires à grandes vitres et à murs sales, dans des aéroports à une seule piste perdus sur des planètes en voie de développement. Puis il fut distrait par un moment de frustration, comme si on venait de lui arracher un jouet, parce que la douanière faisait moins attention à lui. Son esprit subit encore les assauts mêlés de plusieurs virus, et il ressentit en même temps, confusément, plusieurs impressions mal superposables. Puis il se secoua, se ressaisit, un peu intrigué quand même de sa vagance, et revint au module des noms propres.

«Je suis un peu désorienté, se dit-il; c'est le choc de toutes les arrivées»... et il reprit sa série de tests avec l'aide de la douanière:

— Voulez-vous prononcer à haute voix le nom de votre soleil, selon le catalogue terrien?

— Delta Pyxidis, dit lentement Douai, mais la machine commit encore une fois l'erreur que Voyag avait cru repérer plus tôt; elle se brancha sur l'analyseur inter-langue, identifia du grec pour Delta, du latin pour Pyxidis, et concocta un équivalent correct mais inacceptable:

— D-Boussole, entendit Voyag, qui éclata de rire, car l'ambiance de cette planète, en effet, le déboussolait un peu. «L'étoile Delta de la constellation de la Boussole... c'est exact, mais c'est loufoque, marmotta-t-il encore. Pauvre machine! Je n'y comprends rien!»

Il réactiva son pico et chercha la cause de l'anomalie, mais dès qu'il arrivait à la corriger, elle réapparaissait. Il s'étonna: normalement, les petites failles de programma-tion ne lui résistaient pas si longtemps. Il est vrai qu'il avait du mal à se concentrer, distrait sans cesse par Douai, qui s'était approchée de lui et regardait les appareils de son casque avec insistance.

«À moins qu'elle n'essaie de distinguer mes traits, entre toutes ces boîtes noires», songea Voyag, flatté et repris par la griserie de son corps solidement appâté. Il sourit, mais étant donné l'écran que formait son correc-teur d'air, il ne lui servait à rien d'avoir un visage expressif.

Pour tenter une dernière fois de comprendre les anomalies des programmes, il régla son écouteur gauche de façon à y entendre sa propre voix telle que l'entendait la douanière: resynthétisée, et parlant l'une des langues quarantaines; ainsi, il captait également l'original des paroles de Douai (que l'étanchéité des écouteurs, autre-ment, l'empêchait d'entendre).

Écouter sa propre voix s'exprimer en langue étrangère était si curieux qu'il oublia de faire attention à autre chose et oublia ses tests, car Douai avait repris son rôle de questionneuse, et l'interrogeait sur le fonctionnement de ses picos et de leurs télécommandes. De plus, les patineuses, un moment inactives, avaient repris leur agaçant va-et-vient. Elles confisquaient sûrement des instruments importants, impossibles à confondre avec des gadgets.

— Elles emportent..., commença à dire Voyag, qui crut voir passer les cartes du module de pilotage, mais Douai l'interrompit d'une question:

— Donc, vous employez des appareils implantés sous votre peau?

— J'en ai même au cerveau, renchérit Voyag, flatté, tout en constatant avec étonnement que l'intonation originale de la douanière, très sèche, différait beaucoup de la voix chatte et admirative de la traduction.

Ce fut toute l'intuition qu'il eut du piège dans lequel il était déjà tombé depuis une heure ou davantage.

— L'usage des implants est interdit sur D-Boussole, dit la douanière.

Elle fit un geste que Voyag ne comprit pas et deux fonctionnaires des douanes approchèrent; leur agression fut si soudaine qu'en un tournemain ils avaient introduit chaque main de Voyag dans un petit boîtier de métal ajustable qui lui immobilisait les articulations, du poignet au bout des doigts; le seul geste de défense qu'il eut le temps de faire envoya une commande erronée à son pico de gauche, qui répondit calmement:

— Erreur 25...

— Emmenez-le à la roulotte, dit la douanière, et Voyag entendit à la fois la voix séductrice de la traduction, et la voix glacée de l'original.

Mais il ne pensa pas plus loin, assailli de visions agressives de marteaux-pilons écrasant, cette fois, tous les douaniers de la galaxie, pendant que les deux fonctionnaires l'entraînaient malgré sa résistance vers un véhicule semblable à une calèche, suspendu élastiquement sur cinq roues sphériques et muni d'un sas à l'entrée. Voyag se débattait et les cages de métal lui envoyèrent de violentes décharges électriques. Il s'entendit pousser des cris de douleur dans l'écouteur de droite et jeter des cris indignés dans celui de gauche, puis il n'eut conscience un moment que des ravages insensés d'un autre virus ambiance lâché soudain en lui comme une injection empoisonnée: sa terreur absolue d'être privé de liberté, à laquelle se superposa tout de suite celle d'être asphyxié, car il reprenait ses sens et se retrouvait affaissé contre un mur, *sans casque*, sans machine à traduire, sans correcteur d'air.

Les deux douaniers sortaient de la petite pièce en emportant le casque. C'était Douai maintenant qui en coiffait un, fermait la porte et se tournait vers Voyag, la machine à traduire à la main.

Voyag s'assit dos au mur. Il respirait normalement. Il comprit, au casque de la douanière et au sas de l'entrée, qu'il se trouvait dans une pièce *climatisée*, reproduisant les dosages de l'atmosphère terrestre.

— Erreur 25... dit calmement le pico.

«Le message d'erreur va se répéter à intervalles réguliers, indéfiniment», songea Voyag en regardant ses mains douloureusement enserrées dans le métal: il ne pouvait donner aucune commande, ni appeler à l'aide comme sur Bêta Velorum, ni même couper le contact et faire taire la machine.

Sans approcher, Douai fit glisser sur le plancher, jusqu'à Voyag, les écouteurs et le micro de la machine à traduire. Il parvint à les coiffer malgré ses gestes entravés, et entendit à nouveau les deux voix de la douanière, la froide et la sensuelle.

— Au cas où vous ne connaîtriez pas ces gants de métal, disait-elle, ce sont les menottes en usage ici. À tout mouvement brusque des mains ou des bras, vous recevez une décharge électrique, dont l'intensité augmente chaque fois. Et si cela ne suffisait pas à vous faire tenir tranquille, je peux utiliser les crochets que vous voyez aux poignets des menottes pour vous attacher les mains ensemble. Je ne crains donc pas d'attaque de votre part. Maintenant, nous allons parler de choses importantes... et secrètes. Je vous conseille de faire des efforts pour comprendre, et d'agir ensuite de façon à me démontrer que vous avez compris.

Voyag eut malgré lui un grognement d'inquiétude, qui sortit sous forme de plainte lamentable dans l'écouteur gauche et dans ceux de la douanière qui, agacée, ajouta:

— Il ne vous sera fait aucun mal; j'avais seulement besoin d'un prétexte, devant mon personnel, pour vous arrêter. Les implants sont interdits ici. Vous les avez utilisés sans être prévenu, il est vrai; mais personne hormis moi ne le sait, et je tiens un prétexte solide pour vous retenir prisonnier à la face du monde entier, si je le veux. Espionnage à l'aide d'implants.

— Erreur 25... dit calmement le pico.

— Mais je n'ai vraiment pas l'intention de continuer sur ce ton, acheva la douanière. Allez, relevez-vous et venez vous asseoir à cette table. Nous allons avoir une longue conversation.

Voyag se leva sans trop d'effort et souhaita vivement l'arrivée d'une des bouffées d'insouciance qui parfois lui faisaient tant de bien. Il se laissa distraire une seconde, faisant l'examen de la petite pièce: c'était une salle de séjour assez confortable, et même vaguement décorée, mais meublée et agencée avec un mauvais goût criant: ce n'étaient qu'objets mal appariés, disparates, dépareillés. Les chaises n'allaient pas avec la table, les paires de bibelots offraient des contrastes affligeants, les couleurs juraient toutes.

Il réfléchit aussi, un peu à retardement comme tant de fois ce jour-là, aux deux voix si différentes de la douanière. Songeur, il s'assit devant Douai, les coudes sur la table et les mains piteusement appuyées à plat sur le plastique pour alléger la sensation d'enflure et d'enserrement.

«Je sais pourquoi j'entends deux intonations différentes par moments, se dit-il. C'est la machine. Le régulateur prosodique se comporte aussi mal que le dictionnaire. Il modifie certaines intonations. On dirait que quelqu'un a pris un malin plaisir à brouiller les programmes de la cassette quarantaine. À sa phase d'insertion automatique, elle a injecté à ma machine des instructions spéciales qui sont venues gâcher plusieurs parties du système: le traitement des noms propres, les tables de correspondance. C'est sûrement cela; j'en mettrais ma main au... d'ailleurs elle y est déjà», songea-t-il en se raidissant, car la douleur qu'il ressentait aux mains était bel et bien une brûlure.

Distrait, il se dit que sa machine à traduire l'avait *trahi*. Le régulateur avait transformé le ton sec de Douai en ton séducteur; il avait brouillé aussi quelques autres intonations (quelle émotion avait manifestée Douai quand elle avait crié hystériquement: *vous pouvez corriger ces programmes?*); et à cause de cela peut-être, il n'avait pas pu sentir le danger...

— Vous êtes distrait, dit Douai sévèrement (à gauche).

Voyag se ressaisit avec effort.

— J'ai les idées tellement éparpillées, gémit-il. Je... je crois que cette sale machine est truffée d'erreurs, ajouta-t-il avec hargne, assailli d'une superbe vision de marteaux-pilons, etc.

— Ces erreurs vous auront été très utiles, dit la douanière.

— Ah oui?? railla Voyag.

— Vous verrez. Je m'excuse de vous avoir fourni une cassette pareille. Mais n'allez pas croire que tous les problèmes venaient de là. Pour le mot *téléguidage* (elle voulait dire *patin,* bien sûr)... ce n'est pas le dictionnaire qui fonctionnait mal. C'est moi. Nous. Notre langue. C'est tout le processus du langage qui fonctionne mal. Et bien d'autres choses. Sur toute la planète.

Voyag ne dit rien, se rappela seulement les impressions hésitantes de Lizone: «Il y a là-bas quelque chose de détraqué, et de si inhabituel que...»

— Erreur 25... fit le pico.

— *Vous êtes distrait!* redit la douanière sèchement.

— Je m'excuse, fit Voyag.

— Je vous ai dit que notre conversation toucherait des choses secrètes, reprit Douai. Je vais vous parler de la situation sur cette planète comme je n'en ai parlé qu'avec très peu de personnes — seulement avec les membres du Conseil restreint pour la planification internationale.

— Vous avez de belles relations, pour une douanière, dit Voyag étourdiment — pure nervosité; le virus «prison» lui braisait l'estomac.

La réplique fut plus sèche que jamais, et atteignit la saveur du cri de jouissance à droite:

— Je ne sais pas ce que votre machine à traduire vous a donné pour «chef des douanes», mais j'ai l'impression que vous me prenez pour un chef des douanes, siffla-t-elle.

— Je m'excuse, balbutia Voyag, les yeux ronds.

«Lacune de vocabulaire, reconnut-il. La machine, faute de bien connaître les titres quarantains, m'a masqué celui, sans doute important, de cette femme. Elle doit être conseillère en relations extérieures pour toute la planète. Si j'avais su, je me serais peut-être méfié!!»

— Vous êtes membre de ce conseil privé? demanda-t-il, pour vérifier.

— Oui.

— Et... et qu'alliez-vous me dire avant d'être... *distraite?*

Douai lui jeta un regard aigu.

— Depuis cinq ans, quelque chose s'est détraqué sur cette planète. En fait le phénomène s'est amorcé bien avant; mais si lentement, si insidieusement que la prise de conscience collective a tardé. D'abord des étudiants dans divers pays ont découvert des entrées incorrectes dans des dictionnaires. Tous les dictionnaires à la fois se trompaient sur le sens de certains mots. Quand les étudiants ont commencé à en discuter, ils se sont rendu compte que d'autres personnes avaient une perception différente, et disaient que le sens correct était dûment consigné.

— Je ne vois pas...

— Pour faire vite: cette planète souffre de *disparités*. Des choses intangibles, mais devant *obligatoirement* être appariées, se dissocient irrémédiablement. Les couples *mot-sens du mot*. Les couples *intonation-sens de cette intonation*. C'est une maladie collective, mais elle est plus ou moins grave selon les personnes, et *elle touche des mots différents* chez chacun. Un matin je me lève, et je me mets à employer le mot A au lieu du mot B, et je ne m'en rends pas compte, car pour moi c'est le même mot, le même sens. Mais les gens auxquels je parle, eux, voient l'erreur et ne me comprennent pas. Ou parfois, c'est tout un groupe de personnes qui se met à employer un mot autrement, et les personnes hors du groupe ne les comprennent plus. Ou encore, des mots «changent» de la même façon pour tout un continent. Ces glissements, au début, se produisaient à de longs intervalles, pour une faible fraction du vocabulaire. Maintenant, à certains endroits, pour certaines personnes, des milliers de mots changent tous les jours, plusieurs fois par jour; différemment pour chacune. Dans certains pays le phénomène a atteint des proportions effrayantes.

— Si cela dépend du lieu, pourquoi ne...

— Vous connaissez la population de cette planète, dit la douanière. Nous ne pouvons pas nous permettre de vider de vastes territoires. Voyez-vous ce qui est en train d'arriver? Une fraction toujours croissante de notre population est condamnée à un état d'aphasie totale. Ils ne comprennent personne et personne ne les comprend. Toutes nos activités en sont entravées, partout. C'est le chaos qui s'installe. À ce rythme, d'ici trois ou quatre ans, nous serons *perdus,* vous comprenez?

Voyag ne répondit pas. Il avait mal aux mains. Douai reprit:

— Moi, je suis peu touchée. Mes intonations sont normales, mon vocabulaire presque intact. C'est pourquoi on m'a affectée à l'accueil des étrangers: je peux facilement me faire comprendre. Comme vous vous en doutez, nous n'avons pas réussi à programmer nos cassettes de traduction de façon à refléter tous les changements qui se sont produits depuis cinq ans. Et depuis un an surtout, le rythme s'est emballé...

— Je ne vous crois pas... dit Voyag, étourdi.

— Je peux tenter une petite démonstration. Il y a un test que vous n'avez pas songé à faire. Votre écouteur est bien réglé de façon à entendre ma voix originale? Bon. Je vais répéter cinq fois le même mot que tout à l'heure: *rugosité, algue, rigueur, malchance, reflet.*

— Erreur 25... dit le pico — on eût dit un diagnostic.

— Avez-vous entendu un seul mot, ou plusieurs? continua Douai.

— Plusieurs.

— À la traduction?

— Oui.

— *Et dans l'original aussi?*

— Oui.

— Et pourtant, je vous *jure* que j'ai prononcé cinq fois le même mot, que j'ai fait appel cinq fois à la même notion: à l'objet que vous avez vu aux pieds des jeunes filles. Ce mot est l'un des plus gravement touchés pour moi: il *change* chaque fois que je le prononce. Mais j'ai de la chance. Seuls une centaine de mots de mon vocabulaire sont atteints ainsi. Des processus cycliques règlent le tout... mais cela, je l'ignorais avant votre intervention *géniale* de tout à l'heure. Vous vous rendez compte?

— De... de quoi?

— Il y a plus d'un an que nous cherchons à attirer ici quelqu'un comme vous, sans succès... et vous voici, par hasard!

— Quelqu'un comme moi? Que voulez-vous dire?

— *Vous pouvez programmer des machines à traduire,* dit la douanière avec, à droite, le même cri hystérique qu'un peu plus tôt, dehors. À gauche, l'émotion originale était l'espoir, un espoir insensé.

— Je ne suis pas un spécialiste des machines à traduire! protesta Voyag.

— Laissez-moi finir! Vous devez comprendre parfaitement pour quelles raisons je vais vous retenir ici.

— Me retenir ici! répéta Voyag avec, toujours malgré lui, un autre petit grognement d'inquiétude qui fut rendu par un gémissement — Voyag en fut vexé, car la douanière, elle, n'avait pas réglé son écouteur de façon à entendre ses intonations originales. Elle le jugeait donc à ce qu'elle entendait, et ce genre de plainte molle n'était pas à son avantage.

Douai, en effet, se fit plus sévère:

— Vous retenir, oui; ne faites pas l'enfant. Les circonstances justifient entièrement ma façon d'agir. Vous êtes un expert en débrouillage de logiciels, vous l'avez dit vous-même. Vous entrevoyez déjà une façon de corriger mon problème avec le véhicule qui perd son nom. Vous avez découvert que l'anomalie est cyclique, chose que personne ici n'avait perçue. Tout cela en quelques minutes. Alors, imaginez ce que vous pourriez faire en quelques mois de travail assidu!

— Oh non... murmura Voyag, qui commençait à deviner la suite.

— Vous comprenez, n'est-ce pas? Puisque nous ignorons la cause profonde de notre problème, le seul moyen de nous éviter le pire est de mettre au point au plus tôt des machines à traduire monolangues qui suivront l'évolution de nos anomalies, et nous permettront de nous comprendre entre nous, au moins assez pour fonctionner encore. Et ce faisant, en découvrant peu à peu les mécanismes de l'anomalie grâce à votre programmation, nous remonterons jusqu'à la cause... c'est notre seule chance.

— Je n'arriverai jamais, tout seul, à débrouiller les anomalies de tout le monde...

— Une fois le mécanisme de l'erreur dévoilé, cela ira tout seul! Nos informaticiens se chargeront de la production massive! Notre problème, c'est de n'avoir aucun expert de votre calibre sur la planète.

— Mais pourquoi n'en avez-vous pas attiré certains ici! D'autres que moi, mieux qualifiés!

— Mais vous connaissez la réputation de cette planète! La puritaine, Quarantaine la surpeuplée! Personne n'a voulu venir. Et n'essayez pas de dire que vous n'êtes pas qualifié. *Vous étiez sur notre liste d'experts à contacter.* L'original, le talentueux programmeur unique en ses folies... Seulement, vous êtes irrejoignable, vous changez constamment de nom... Heureusement, nos machines anthropométriques, à l'arrivée, vous ont *reconnu.* C'est pourquoi j'ai tenu à vous accueillir moi-même. C'est pourquoi je vous ai remis une cassette défectueuse: je l'ai choisie exprès. Quelqu'un avait fini par la dérégler à force d'y programmer des corrections destinées à suivre l'évolution de sa maladie langagière. Les défauts ne touchaient rien d'essentiel, n'empêchaient pas le dialogue, mais en réparer un, c'était déjà résoudre un problème de programmation analogue à ceux qui nous dépassent. Un bon test, en somme. C'est pourquoi je vous ai tout de suite demandé de reprogrammer votre machine, et c'est pourquoi, les résultats étant nettement encourageants, je me suis permis de vous tendre un piège... La méthode choc est la meilleure pour vous obliger à rester — et à m'écouter.

— Il me semble quand même que d'autres que moi auraient pu venir ici, et de leur plein gré!

— Que non; surtout pas depuis un an. Les gens commencent à se poser des questions. Nous avons coupé presque toute communication avec l'extérieur, et tout commerce. Et nous avons empêché de repartir *tous les étrangers* qui étaient ici ou qui y sont venus depuis cinq ans. Nous avons dû en tuer certains, qui ont tenté de fuir. D'autres sont en prison.

— Mais pourquoi?

— Parce qu'ils ont été contaminés, ne comprenez-vous pas? L'anomalie est contagieuse, hautement contagieuse. Tous ceux qui viennent ici pourraient la transmettre à l'extérieur, la répandre universellement, comprenez-vous? C'est un peu ce qui nous a empêchés — jusqu'ici — d'aller enlever les savants dont nous avons besoin. Ceci, et le fait que très peu de nos équipages complets peuvent lire, communiquer entre eux et avec les étrangers.

— Je ne crois pas à votre histoire de contagion, dit Voyag.

— C'est pourtant vrai. Vous êtes vous-même atteint, d'ailleurs, et je vous le prouverai d'ici quelques minutes si vous avez la patience de m'écouter encore. Jusqu'ici, vous êtes resté relativement calme, je vous encourage à continuer. C'est votre aide que nous demandons.

— Dans ce cas, enlevez-moi donc les...

— Soyez patient, j'ai dit, et laissez-moi finir. Je veux avant tout que vous *compreniez,* voyez-vous?

— Alors continuez.

— L'anomalie ne touche pas seulement les mots, voilà ce qu'il importe de comprendre. Elle touche des dizaines de choses qui devraient être appariées. L'écriture,

les symboles et les signes, avec leur sens. Ou les intonations et leur sens. Pour certaines personnes, tout change,
tous les jours.

— Je comprends.

— Très bien. Et il y a d'autres *disparités*. Notre sens
de l'harmonie est touché. Vous voyez cette pièce? Je sais,
logiquement, qu'elle doit vous apparaître horriblement mal
agencée. Mais à nos yeux à nous, vous comprenez, cette
table *va* avec ces chaises, ces bibelots *sont* exquisément
assortis, et ces agencements de couleurs *sont* un délice
pour l'œil.

— Je comprends, répéta Voyag, dans sa trop grande
volonté de faire croire qu'il saisissait, admettait, approuvait tout, espérant ainsi être délivré plus vite des menottes
— la douleur augmentait avec l'enflure.

— Et l'anomalie se manifeste d'autres façons aussi,
continua Douai; par d'autres sources de chaos que ces
disparités. Entre autres, par des problèmes psychiques
communs. Le plus grave est une tendance généralisée à
l'éparpillement des idées, à la distraction.

Tendances, problèmes psychiques collectifs... Voyag
croyait entendre Lizone vanter sa puce et décrire ses
impressions. Mais il n'eut pas le temps de penser plus loin;
Douai l'interrompit en élevant la voix:

— *Vous êtes encore distrait!* L'anomalie est contagieuse: je vous ai dit que je vous le prouverais? La preuve
est là: *depuis votre arrivée, un rien vous distrait, et vos
idées, vos impressions, vos états d'esprit oscillent d'une
direction à l'autre en désordre.* Admettez-le.

Voyag fronça les sourcils mais, sur le point de réfléchir, fut *distrait* par une sensation d'ébranlement du
plancher: la calèche démarrait.

— Où allons-nous? jeta-t-il, alarmé.

— Là où vous serez mieux équipé pour travailler.

— *Oooo-oh,* entendit Douai des deux oreilles, et
Voyag de l'oreille gauche — la machine à traduire

s'obstinait à rendre ses grognements d'inquiétude par des geignements éplorés.

Voyag furieux attira à lui le processeur de sa machine, sur la table, et parvint tant bien que mal à couper le contact du régulateur prosodique. Mieux valait l'absence totale d'intonations à ces distorsions lamentables.

— Erreur 25... dit le pico d'une voix malicieuse, et Voyag sursauta.

Il savait parfaitement que l'intonation calme et très légère de son pico ne pouvait pas, en soi, changer. S'il prenait son ton calme pour une voix rieuse, c'est que, sans le savoir, il associait à l'intonation un sens erroné. S'il avait essayé de parler d'un ton rieur, sa voix serait sortie calme; lui l'aurait perçue rieuse quand même... mais pas ses interlocuteurs. Le virus *disparités* était en lui.

N'en pouvant plus, Voyag se leva en réprimant soigneusement tout geste brusque, et alla à la fenêtre de la calèche, un peu ivre, à cause de sa suspension entre roulis et tangage. Le véhicule passait devant le monticule d'atterrissage où le mobile gisait, démembré de ses instruments, évidé sans doute de tout son équipement.

— Pourquoi avez-vous fait cela? gémit Voyag tout à son aise, sachant que l'intonation ne passait pas, et que l'étanchéité des écouteurs empêchait Douai de jauger sa voix véritable. D'ailleurs elle commenta, maussade:

— Maintenant, vous parlez comme un robot de première génération...

— Qu'importe. Mais le VS, insista Voyag. Pourquoi l'avoir démonté?

— Sans véhicule vous ne pouvez pas partir, c'est déjà une garantie, répondit la douanière. Certains des instruments vont nous suivre, ils pourront vous être utiles. D'autres seront détruits, notamment les unités de communication. Avec vos picos et vos commandes aux mains, qui sait ce que vous pourriez faire, sans que personne n'y prenne garde.

— Si vous voulez que je vous aide, j'aurai besoin de mes mains et de mes picos, dit Voyag, essayant un argument. Vous devriez m'enlever les...

— Pas pour le moment, je regrette.

— Je me demande combien de temps on peut les porter sans perdre les deux mains, rétorqua Voyag, haineux. Je risque...

— Ne vous inquiétez pas, vous ne risquez rien. Si vos mains vous empêchent de travailler, nous saurons bien utiliser vos services autrement pendant qu'elles guériront. Les menottes sont des instruments éprouvés, vous savez. La douleur qu'elles causent est seulement efficace.

— Efficace, en effet, dit Voyag, qui avaient envie de promettre n'importe quoi pour cesser de sentir ses mains gonfler et s'engourdir.

Il appuya son front contre la vitre isolante du véhicule et regarda défiler le paysage urbain surpeuplé, sans le voir tout à fait. Tous ses virus se bousculaient en lui: la peur du climat, la phobie des prisons, la frustration et le désir, le goût de la violence et la fatigue physique; tout l'assaillait et il n'y pouvait rien.

Puis il se mit à réfléchir comme il avait appris à réfléchir sur Bêta Velorum IV, et au bout de quelques minutes il se tourna résolu vers Douai, qui avait respecté son silence, sentant que son prisonnier était sur le point de se soumettre, ou de comprendre, ou de montrer les signes de collaboration qu'elle espérait.

— Vous dites que vous n'avez aucune idée de la cause de votre problème, n'est-ce pas? demanda Voyag. Mais si... si je vous disais que je connais une personne qui pourrait peut-être analyser votre problème à sa racine? S'il s'agit d'une anomalie psychique... collective... variant selon les lieux... *ambiante,* en quelque sorte... je crois que cette personne pourrait vous aider. C'est un neurophysiologiste connu, spécialiste du cerveau. Il s'appelle Lizone.

— Oui... dit la douanière, et Voyag vit, à ses yeux, qu'elle était vivement intéressée, qu'elle connaissait ce nom.

— Il était sur votre liste de candidats à l'enlèvement, n'est-ce pas?

— Oui... oui. Mais nous n'avons pas pu le localiser.

— Si vous me rendez la liberté, je vous dis où il se trouve, et je vous livre le moyen de l'amener ici.

— Voyag, je ne peux plus vous laisser partir, je croyais que vous compreniez. La contagion est un fait. Et l'aide que vous pouvez apporter est irremplaçable, elle ne pourrait pas être troquée contre l'aide de Lizone, surtout pas sans garantie. Le seul espoir de liberté que je puisse vous donner est celui de voir la fin de notre problème plus vite et plus sûrement, si en effet Lizone vient ici.

Voyag se tut encore un long moment, pour encaisser, cette fois. La calèche traversait la ville, une ville qui n'en finissait pas.

— Écoutez... je vais vous expliquer quelque chose à mon tour, dit-il enfin, et il entreprit de décrire l'invention de Lizone.

Il employa les termes techniques les plus récents, mais la machine à traduire émit, côté langue d'arrivée, une série de *bips* désolés. Néologismes. Aucun équivalent en langue quarantaine.

— Il vous manque de sacrées notions, marmonna Voyag. Mais tant pis; je vais essayer de m'expliquer en termes simples.

Douai, les oreilles quelque peu violentées par les hautes fréquences du timbre, tripotait les écouteurs.

— Je m'excuse, fit Voyag, et il reprit sa description de la puce, des effets éprouvés par Lizone, et de sa théorie des ambiances.

Il parlait vite, et pour convaincre, toujours dans l'espoir de libérer ses mains au plus tôt. Il donna les coordonnées de son orbite de sûreté, la date de son rendez-vous avec Lizone, proposa deux ou trois ruses pour le convaincre de venir sur Delta Pyxidis ou pour l'y forcer sans lui faire de mal.

Douai approuvait, disposée à agir sans perdre une minute.

— Oui, ça va, dit-elle enfin. Je vais faire le nécessaire, et Lizone sera ici bientôt. Vous allez venir avec moi au centre de contrôle pour vérifier les données et tout organiser. Nous allons envoyer chercher votre ami. Puisque ce n'est pas loin, un équipage restreint et peu expérimenté suffira. J'ai une jeune pilote peu touchée, comme moi. La contagion ne sera pas un risque, puisque le VS ne se posera nulle part.

Par interphone, Douai demanda au chauffeur du véhicule de retourner à l'aéroport, et discuta des derniers détails avec Voyag pendant le trajet.

— Voilà. Venez, dit-elle lorsqu'ils furent arrivés.

— Comme ça? dit Voyag en montrant ses mains.

— Comme ça. Je vous ai dit que je ne peux rien faire tant que vous êtes en mesure de nous servir une ruse avec vos picos.

— Mais comment voulez-vous que j'enregistre une commande? Je ne pourrais même pas bouger les doigts, dans l'état où ils doivent être. Que risquez-vous à me libérer? Ou au moins, ne pouvez-vous me mettre les mains dans... je ne sais pas, moi... quelque chose de plus doux?

— De très gros pansements, croyez-vous que cela irait? dit la douanière, les yeux malicieux.

Un instant interdit, Voyag eut un rire spontané, soulagé.

— Je crois que oui, dit-il.

— Alors asseyez-vous et attendez un moment. Je vais chercher un infirmier. Et je vous félicite. Vous savez garder votre sang-froid.

Au moment où Douai allait enlever les écouteurs pour

passer dans le sas, Voyag l'interrompit en hâte:

— Pourriez-vous me répéter votre nom?

— Teznion, entendit-il à gauche, et Douée à droite.

Le nom lui parut encore étrange et il eut encore envie de se l'épeler *Douai,* puis il fut assailli malgré lui par d'obscurs souvenirs de vieux noms terriens dérivés eux aussi de participes. Aimée, par exemple.

— Ce que je peux être fatigué! jeta-t-il, très haut, dans la pièce vide.

□

Presque en un temps record, Lizone arriva à son tour sur la planète Quarantaine, et fut accueilli par Douai dans la calèche.

— Vous pouvez enlever votre correcteur d'air, lui dit la douanière; la pièce est climatisée.

Après les méfiances d'usage (analyse et mesures), Lizone se soulagea des appendices les plus lourds de son casque, et Douai vit apparaître ses traits parfaitement symétriques. Elle constata qu'ils étaient tirés et bouffis: des lignes et des nœuds d'angoisse.

Tout au long du trajet avec les Quarantains, Lizone avait bien senti que s'il n'avait pas voulu les suivre, ils l'auraient emmené de force. C'est pourquoi il avait peur, d'autant plus qu'il avait capté une fois de plus, en approchant de la planète, son ambiance anormale. Les traits dominants l'avaient assailli, beaucoup plus précis que lors de sa première visite, si précis même que, en arrivant au sol, il en savait déjà beaucoup plus long que Douai et Voyag ne pouvaient l'imaginer.

Pour distraire Lizone de son inquiétude, Douai entama la conversation par une remarque insignifiante.

— Vous n'êtes pas terrien, dit-elle avec une feinte surprise.

— Je m'appelle Lizone; Lizone tout court. Ce n'est pas un nom terrien, il me semble. Et n'essayez pas de me distraire; je suis entièrement imperméable à vos ambiances, et vos virus ne me touchent pas. Où est Voyag? C'est lui que je suis venu voir.

Voyag entrait justement. Il vint déposer sur la table sa machine à traduire modèle hétérophone, afin de faciliter la conversation à trois.

— Qu'est-ce que tu as aux mains!? s'écria Lizone.

Les mains de Voyag étaient guéries, mais les cicatrices, très visibles, n'avaient rien d'attrayant.

Voyag, mal à l'aise, ne disait rien, et s'affairait à préparer la machine. Revoir Lizone le gênait, car il avait le sentiment de l'avoir attiré dans un guet-apens. Lui parler le gênait plus encore, car il savait que toutes ses intonations étaient faussées. Le phénomène, qui le premier jour n'avait touché qu'une faible fraction de ses ressources expressives, s'était généralisé depuis.

Pourtant Voyag dut bien parler, et Lizone, surpris d'abord par les incongruités — des paroles d'excuse prononcées d'une voix rieuse et chantante — ne tarda pas à comprendre la cause du phénomène; sa puce lui avait déjà permis de soupçonner des anomalies du langage. Douai s'empressa de tout expliquer, et en moins de temps qu'il n'en avait fallu pour Voyag, Lizone fut instruit de la situation sur Delta Pyxidis.

— Vous ne devez pas vous étonner de ma capacité à saisir très vite, dit-il. Mon ampli m'a fait prendre conscience de vos difficultés avant d'arriver. Mais avant d'en discuter, je veux parler à Voyag. Seul à seul.

Douai retira courtoisement ses écouteurs. Lizone voulait expliquer à Voyag, sans plus tarder, qu'il était victime des virus ambiance depuis le début. Il fut surpris de la promptitude avec laquelle son ami comprit et admit tout. En fait, dans l'intervalle, Voyag avait eu l'occasion de réfléchir sérieusement, à la manière de Bêta Velorum, et de démêler en partie ses malaises et leur cause.

— Je suis surpris... je suis content, fit Lizone. Je

croyais te trouver en bien plus piteux état. Comment te sens-tu?

— Mon sentiment dominant, pour le moment, est la frustration, dit Voyag, parce que Douai borne nos relations au plus strict nécessaire.

Il n'osa pas avouer que, avec une forte dose de puritanisme dans les veines, il refoulait mieux maintenant son état de manque. Il n'avoua pas non plus ce qu'il pensait de l'attitude de Lizone. «Il ne m'en veut pas! Mais il sera moins content tout à l'heure, quand il saura que nous sommes prisonniers sur une planète qui risque le chaos à brève échéance.»

Voyag ignorait que Lizone, en venant au rendez-vous, avait abandonné le centre de recherche, et décidé de se laisser aller à son penchant insensé, celui d'aider les autres dans la mesure où son ampli lui permettait de jeter un regard neuf sur leurs situations — apport souvent inestimable.

Lizone fit signe à Douai de recoiffer les écouteurs.

— Revenons à votre problème, dit-il. Le temps presse, pour autant que je sache. Je préfère dire tout de suite ce que je pense. La cause profonde de vos disparités et de vos anomalies, j'avoue que je n'arrive pas à la cerner. Mais j'identifie en tout cas l'un des facteurs qui occasionne tout, et la solution est peut-être à votre portée.

— Vous êtes ici depuis une heure, balbutia Douai, et...

— Je sais, coupa Lizone. Cela vous déroute, cela peut vous vexer: j'en sais plus long que vous sur vous-mêmes. Mais en percevant les ambiances pour toute la planète, d'emblée je vois l'essentiel, les seuls faits à retenir, les véritables points sensibles. Ici, il s'agit même d'une chose que j'aurais dû comprendre beaucoup plus tôt.

— Tu vas pouvoir régler leur problème... comme ça? dit Voyag, repris par l'espoir de recouvrer sa liberté.

— Ce n'est pas tout à fait aussi simple, malheureusement, répondit Lizone. Mais suivez bien mon raisonnement. Vous savez que les ambiances, quoique complexes, sont avant tout fonction de deux choses: des lieux, et des personnes qui s'y trouvent. Il faut donc s'attendre à voir varier les ambiances, en intensité et en nature, selon les lieux et les personnes. En particulier selon *le nombre de personnes qui se trouvent en un lieu;* autrement dit, selon *la densité de population.* Votre problème, Delta Pyxidis, est en partie un effet de la surpopulation. Il y a sûrement d'autres facteurs, mais...

— Attendez... vous... hésita la douanière.

— Je débite des évidences? Mais ce n'est pas si évident, puisque personne avant moi n'a saisi. Avec Voyag, j'ai visité une planète peu peuplée, pour mettre la puce à l'essai. Mes propres impressions ont été si vagues que je ne me suis même pas aperçu, quand Voyag m'a dit des âneries, qu'il inventait tout à mesure, à partir d'intuitions, de déductions...

— Et de ma banque de données, intervint Voyag en agitant sa main droite encore ankylosée.

— Bref, parce que je ne sentais presque rien, j'ai trouvé ses impressions vagues assez convaincantes. Sur une planète peu peuplée, il semble que les ambiances aient peu de force. Voyag n'a rapporté aucun virus de là-bas, j'en suis persuadé. Alors j'en suis venu à penser qu'il faut franchir un certain seuil de densité planétaire pour que des phénomènes collectifs *virulents,* bons ou mauvais, commencent à émerger. Pendant nos manœuvres d'approche, ces jours-ci, j'ai révisé mes statistiques sur la galaxie, j'ai réfléchi aux caractères reconnus des planètes... et à mon avis, le seuil critique serait d'environ 23 personnes au kilomètre carré.

Voyag, après une rapide consultation de ses picos, établit que sa planète natale avait franchi ce seuil pendant le XXe siècle — et l'ère spatiale avait suivi, avec la mutation culturelle, et l'ère des machines.

— Bien sûr, continuait Lizone, les villes, et plusieurs pays, ont des densités locales bien supérieures à ce chiffre, mais leurs ambiances ne peuvent pas exercer une influence vraiment profonde. Ce qui importe, c'est surtout la densité planétaire, c'est la quantité d'énergie, de forces, l'entrecroisement d'atmosphères et d'événements et d'idées et de faits psychiques et de tendances enclos en ces points minuscules que sont les planètes, dans l'espace.

— Peut-être... mais... interrompit Douai, mais Lizone était lancé:

— Les planètes du circuit, dit-il, ont toutes entre 25 et 40 habitants au kilomètre carré. Or Delta Pyxidis les dépasse de loin, avec 175 habitants au kilomètre carré. Alors... peut-être ne serait-il pas vain de penser que non seulement les ambiances ici sont très puissantes, mais qu'en outre un autre seuil est franchi: elles commencent à induire des phénomènes inimaginables ailleurs, comme votre sens de l'harmonie distordu et vos troubles du langage. Il reste que je ne comprends pas pourquoi l'effet dominant ici est aussi désastreux. Au lieu de déclencher une évolution bénéfique ou de contenir des forces opposées en équilibre plus ou moins stable, l'ambiance résultante est destructrice.

— À quoi cela tiendrait-il? s'indigna Douai.

— Je n'en sais rien... Peut-être aux caractères dominants de vos populations. Peut-être est-ce votre tendance à vous isoler... Le manque d'ouverture d'esprit, amplifié, peut se changer en refus de comprendre les autres, d'où votre épidémie d'aphasie. Ou peut-être est-ce votre puritanisme qui intervient... un effet revanche: une perte de contrôle totale compensant vos excès de maîtrise de vous-mêmes. C'est sans doute tout cela à la fois, je ne sais pas...

— Mais... mais... que devons-nous faire? reprit Douai.

— Je ne crois pas que vous changerez du jour au lendemain, il n'y a rien à espérer de ce côté. Bien sûr votre problème contient sa propre solution, c'est comme un mécanisme autorégulateur. L'état de chaos tuera beaucoup de gens, la population diminuera, et l'anomalie s'effacera.

— C'est ce que vous appelez une solution!

— Bien sûr que non. L'unique solution, pour vous, serait (outre l'assassinat...) le déplacement massif, de toute urgence, d'une importante fraction de votre population, soit par émigration vers une planète peu peuplée, soit par colonisation d'une terre vierge. Vous ne reviendrez jamais à vos langues originales, mais les changements anarchiques ralentiront, la situation se stabilisera et, à l'aide de machines à traduire bien programmées, vous arriverez de nouveau à vous comprendre entre vous.

— C'est une solution presque inapplicable... gémit Douai. Les problèmes logistiques sont énormes... et la politique... qui déplacer, où aller, quelle planète envahir ou coloniser... comment faire tout cela à temps quand déjà seul un petit nombre d'entre nous peut communiquer avec l'extérieur... et quand chacun de nous, en sortant d'ici, peut transmettre l'anomalie!

— Sur ce point, je crois que vous vous trompez, intervint Lizone. Vous voyagez peu. En cinq ans, vous n'avez pas pu voir assez de cas de contagion pour comprendre tous les processus impliqués. Mais ma théorie offre des explications. Les personnes qui viennent ici, soit, sont dangereusement exposées. De rares exceptions, comme moi, sont immunisés par nature, ou ne subissent la contagion, disons, qu'après une longue exposition. Mais ceux qui partent d'ici ne peuvent pas transmettre grand-chose, à mon avis. Quand on change de lieu, l'ambiance change aussi. Ceux qui partent peuvent l'emmener avec eux, parce qu'ils sont entassés dans un VS, mais peu à peu elle s'estompe, noyée dans le vide de l'espace. Au pire, les voyageurs vont transmettre *une* tendance, *une* disparité, quelques écarts de vocabulaire, qui ne s'aggraveront jamais. Je suppose que vous vous êtes affolés pour des cas de contamination mineure. Et quant aux individus, ils peuvent encore moins donner le virus. Les ambiances appartiennent aux lieux et aux collectivités. Il faudrait un esprit singulièrement vaste et influent pour qu'il y ait danger de transmission.

Un long silence accueillit ces remarques; un silence si parfait que Voyag, pour la première fois de sa vie, crut déceler un bruit de fond dans l'écouteur droit de la machine à traduire.

— Une chose encore, reprit Lizone. Je vous offre mon aide pour régler, si possible, les problèmes de logistique et de politique. Et je crois que vous pouvez compter sur Voyag pour les machines à traduire. Nous ferons tout ce que nous pourrons. Mais si... si..., disons: la seule chose que je vous demande, c'est l'assurance, si les choses se gâtaient, qu'on nous laisserait partir d'ici à temps...

Douai lui jeta un regard froid.

— Je n'ai jamais été un homme courageux, avoua Lizone.

— Je ne sais pas comment nous ferons, murmura Douai. Nous avons si peu de temps. Quand la vérité sera connue, comment empêcherons-nous les tueries? Dans certains pays, la solution radicale sera une tentation.

Abandonnant casque et écouteurs, Douai courut vers le sas, et alla sur-le-champ convoquer une réunion du conseil. Restés seuls, Lizone et Voyag mesurèrent, à leur attitude mal assurée, dans quelle inextricable aventure ils venaient de s'engager. Ils avaient peur tous les deux; l'avenir recelait de l'espoir, mais trop de dangers.

— Bon... grommela Lizone pour dire quelque chose. À la première occasion, je t'enlève ta puce.

— Oui, je crois que ça vaudra mieux, dit Voyag,

mais avec regret: il enviait Lizone de pouvoir utiliser une machine mieux que lui.

— C'est le seul moyen de ralentir la contagion, insista Lizone. N'oublie pas que, pour programmer leurs machines sans perdre de temps, il faut que tu restes ici. Et tu ne pourras rien faire si tu deviens aphasique. Où en es-tu?

— Douai prétend que j'en ai pour deux ans au plus avant que mon état ne devienne... grave.

— Sans la puce, tu disposeras bien de trois ans pour terminer ton travail.

Voyag comptait bien s'évader au premier signe sérieux de danger, mais il n'en dit rien. Lizone cependant continuait:

— Quant aux virus que tu as contractés... je ne peux rien faire, mais peut-être qu'une cure de désintoxication mentale très poussée...

— Quoi?? protesta Voyag.

Lizone ne put déceler sur quel ton son ami prononça vraiment les paroles qui suivirent, car ses intonations étaient complètement brouillées — et ne redeviendraient sans doute jamais normales — mais Voyag lui parut calme et lucide.

— Pas question, dit-il. Je veux rester tel que je suis devenu. J'ai changé, en mal dans plusieurs cas; j'ai l'esprit tourmenté, je suis sollicité par toutes sortes d'idées à la fois, et par pas mal d'émotions incontrôlables. Mais j'ai l'impression, ainsi, d'avoir retrouvé quelque chose de perdu depuis longtemps. Sais-tu, Lizone, je pense que tes virus, par hasard, ont reconstitué à peu de choses près le psychisme normal des Terriens, qui était desséché en moi — je voyage trop; l'espace est vide et il m'a vidé, ou réduit à mes manies. Je me sens plus riche avec tous ces excès et ces contradictions, plus riche même que les gens de Ksi Puppis et d'ailleurs, limités à leurs deux ou trois tendances principales. Je veux rester tel que je suis.

— Bon, céda Lizone. Fais ce que tu veux. Fais ce que tu veux.

Il essaya de capter l'ambiance qui régnait dans la petite pièce — elle pétillait, c'était étrange — mais il ne put lui donner de nom.

Lachine
Novembre et décembre 82

Les trains-bulle
de janvier

Huguette Légaré

Cette année encore, le voyage des fêtes d'Evan et Gabriella a été un autre périple à la Jivago, spécialement le trajet du retour.

Ils devaient prendre leurs trains-bulle, l'express Montréal-Halifax, à Lévis à 0 h 40. Mais le vent soufflait en rafales et la neige s'amoncelait, ce qui parut à Gabriella et Evan un blizzard consommé et une tempête dans les normes. Aussi crurent-ils avisé de quitter les Jardins Mérici à 9 h 30 du soir, c'est-à-dire avec trois heures d'avance pour faire un trajet de dix minutes de taxi-bulle et de dix minutes de brise-glace-bulle. Il faut dire que toutes les intempéries paraissent pires qu'elles ne sont quand on se trouve au trentième étage. De plus, la météo du super-service personnalisé de câblevision sur écran bleu, rouge et blanc annonçait pour la nuit un froid de -35°C, et Evan et Gabriella pensèrent prudent de s'affoler fermement devant ce pronostic.

Le chauffeur de taxi-bulle, aimable et causant, leur apprit qu'il avait connu Madama A.P. (une de leurs amies de la ville de Caraquet-la-française) à Haïti, ce qui jeta un reflet chaud passager sur les records de basse température des dernières semaines.

Décidément, le couple se trouva ce soir-là en pays de connaissance. Au guichet de la Traverse de Lévis, du côté de Québec, Gabriella retrouva une madama avec qui elle avait travaillé, quatre-vingts ans auparavant, pendant un tout petit six heures, un de ces dimanches orgiaques du Carnaval de Québec, au kiosque à journaux de l'ancienne salle d'attente, celle qui s'est écrasée un beau matin dans le fleuve. Ordinairement, Gabriella était employée sur les brise-glace mêmes. Tout à fait charmante, la petite madama s'est bien forcée pour reconnaître cette camarade de travail d'un jour. Mais, à la fin, un peu chagrinée elle-même, elle avoua: «Je m'excuse, mais je me rappelle mal les visages que je ne vois pas souvent.» Ce que Gabriella comprit facilement, surtout dans ce cas précis.

Après la traversée en brise-glace-bulle, toujours pittoresque mais un peu moins la nuit étant donné qu'on ne voit du paysage que de faux contours, ceux formés par les lumières, Gabriella et Evan arrivèrent, toutes attentes comprises, à la jolie gare ancienne mais rénovée de Lévis à 10 h 10 du soir, pour apprendre que les trains-bulle s'amèneraient à 1 h 45 seulement, avec rectification un peu plus tard: 2 h 30. Ils prirent le parti de s'allonger avec leurs combinaisons de vison pour oreillers, mais Evan se lassa vite du confort du banc soufflé, et ils se dirigèrent vers le buffet afin de siroter un thé chaud fraise-pissenlit.

Après le thé, Evan eut envie de lire quelque chose de moyennement sérieux, genre *Énergies populaires* ou *Bulles et Avenir*. Mais on n'offrait à vendre que des magazines de sexe. À tout hasard, Gabriella demanda à la serveuse plongée dans un photo-roman, dont certains passages spécialement émouvants lui faisaient retrousser les lèvres, si elle n'avait pas autre chose. En fait, il ne restait pas même *Le Journal de Québec*. La serveuse proposa à Evan un magazine sur les régimes, à lui qui était maigre juste comme il fallait, un autre sur les autos-bulle des USA, à lui qui jurait seulement par les camions-bulle japonais. La serveuse et Gabriella, en désespoir de cause, suggérèrent de concert un almanach des sports, mais Evan refusa: il n'aimait pas les almanachs parce que ceux-ci contenaient encore trop, selon lui, de choses portant sur le passé. Gabriella avait apporté de son côté le *Poète... vos papiers!* de Léo Ferré. Evan l'ouvrit plus tard pendant que Gabriella somnolait; elle crut voir qu'il lut la première page de l'introduction ainsi qu'un poème intitulé «L'amour».

Ils s'en retournèrent à leur banc soufflé où Gabriella dormit à demi par périodes, quand rien de spécial ne lui faisait lever la tête. Evan, pour sa part, voyagea inlassablement du banc au buffet en quête successivement de soupe, de thé, de cigarettes, d'allumettes...

Une gentille jeune chienne boxer fit heureusement, et pour l'avantage de tous, un show bien apprécié qui tomba à point, c'est-à-dire juste avant que l'écœurement de minuit ne tentât de s'emparer d'Evan. Le maître ressemblait à sa chienne comme deux gouttes d'eau et, chose étonnante, la maîtresse aussi. Tous les trois avaient le même front rond et dégarni, c'était fantastique à voir. Ils avaient en commun aussi un air de bonne volonté, de politesse et de légèreté physique, style combiné sportif- intellectuel - granola - professeur - d'université - fortuné - de - vieille-famille-de-Toronto, la bête étant surtout sportive, bien entendu. La chienne ne parlait que l'anglais, ce qui était bien normal, vu qu'elle venait de Toronto, et que c'était trop demander à un chien que de parler les deux langues. Toutefois, à Bathurst, la ville d'Evan et Gabriella, on trouvait beaucoup de chiens bilingues. Si on leur disait «Viens ici», la première fois, ils ne comprenaient rien. Mais, après plusieurs fois, ils finissaient par comprendre aussi bien «Viens ici» que «Come here». Pendant le printemps, l'été et l'automne, Gabriella apprenait le français aux chiens des voisins. Mais pas l'hiver, il faisait trop froid.

Donc, Gabriella et Evan trouvèrent pendant un long moment un bon sujet de conversation dans la comparaison de ces maîtres avec leur chien. Ces gens-là aux sourires affables, mais intérieurement strictement occupés de leur animal favori, traitaient leur boxer avec des soins pleins de tendresse: il y eut des promenades répétées dans la gare où le chien put visiter de loin tous les bancs soufflés, ce qui fut bon pour lui car il se sentit par la suite en terrain connu; il y eut des périodes courtes, puis plus longues, d'adaptation à la cage de fibre de verre en forme de bulle; il y eut des caresses pour la mise en confiance... Finalement, la bête obéissante fut poussée définitivement dans sa bulle, mais cette étape fut la plus dure pour les maîtres. Le chien, pour sa part, ne sembla pas traumatisé par sa bulle à barreaux, sauf au moment où on ouvrit, dans la consigne des bagages où il se trouvait, la porte donnant sur l'extérieur où le froid atteignait sans erreur possible les -35° pronostiqués par la météo sur écran bleu, rouge et blanc; le boxer laissa alors échapper quelques plaintes, ce qui sembla normal à tout le monde, et même que tous les passagers sur leurs bancs soufflés dans la gare souhaitèrent ensemble, Evan et Gabriella sentirent ces ondes-là, que le robot-préposé fermât la porte au plus tôt, tant pour le pauvre animal que pour les pauvres passagers qui, eux, au moins, pouvaient réendosser leurs combinaisons de fourrure.

À 2 h 15, les trains-bulle se pointèrent, c'est-à-dire avec un quart d'heure d'avance sur les 2 h 30 annoncées, ce qui donna l'impression à tout le monde que ces choses traînées par trois locos-bulle n'étaient pas, somme toute, tellement en retard. Tous les adultes se massèrent devant la porte de sortie, tandis que les enfants de moins de trois ans restèrent encore un moment à regarder le chien, et à faire des «da da» et des «sien sien» devant le boxer qui retenait, à grand renfort de bonne volonté, des signes d'énervement qui faisaient trembler sa poitrine blanche.

Commença alors la longue marche dans le froid intense, la neige amoncelée et les vapeurs de train-bulle qui enfermaient Gabriella et Evan dans d'épais nuages les empêchant de voir même où ils mettaient le pied, à la recherche du lit-bulle 1444 qui se trouvait bien entendu dans la queue de l'express traditionnellement interminablement long de la période des fêtes. Le couple passa devant la bulle couverte à bagages vis-à-vis de laquelle le chien dans sa cage attendait et jappait avec une assuran-

ce croissante, oubliant les bonnes manières apprises difficilement, à mesure que le froid le gagnait et qu'il s'aperce-
vait que les couvertures du fond de sa bulle à barreaux
ouverte à tous les vents ne pouvaient plus rien pour lui et
pour l'eau de son plat qui s'était déjà changée en glace. À
la droite de Gabriella, une madama se demandait sans
cesse, au milieu d'essoufflements crispés, si elle y arrive-
rait, et le monsieurus qui l'accompagnait marmonnait
après chaque lamentation de sa femme: «I' vont le
savouère!»

Hors d'haleine à souhait, car cette marche s'effectue,
selon la coutume, à la course, sans raison, toutefois, les
places dans les lits-bulle étant réservées et les trains-bulle
faisant à Lévis un arrêt de vingt minutes, Evan et Gabriella
gagnèrent leurs lits superposés, style section cette fois-là
et non chambrette, ce qui était préférable en période de
rails hérissés de pointes de glace, parce que les tentures
épaisses amortissaient les bruits de fonte, d'acier, de tôle
et d'aluminium des véhicules ferroviaires constamment
secoués. Gabriella se posa alors cette angoissante question: la bulle à bagages est-elle chauffée? Car c'était bien
là qu'on avait placé le chien? Il lui semblait qu'on ne la
chauffait pas, si elle se fiait à ses valises qui lui étaient
toujours arrivées très froides en hiver. On aurait casé le
boxer ailleurs, bien sûr.

Gabriella s'endormit, Evan aussi. En bas, elle gelait
un peu à cause de la vitre et surtout de la faim qui la tenail-
lait. Elle se réveilla, mangea des tartines diététiques de
pain à la rhubarbe, but un thé glacé fraise-pissenlit sous
pression, et se rendormit dans la plus merveilleuse tiédeur
grandissante sous sa combinaison de vison qui lui tenait
lieu de troisième couverture. Evan, lui, en haut, se faisait
étuver à une température d'environ 100°F, d'après ce qu'il
dit à Gabriella le lendemain matin. Il attendit deux heures
avant de sonner le robot qui vint fermer la bouche de
chaleur de son lit. La température devint normale, mais

les meilleures heures de sommeil d'Evan avaient été perturbées, et le reste de sa nuit ne fut pas fameux.

Pendant le trajet, les trains-bulle prirent quatre heures de retard. Mais l'électronique ne gela pas, le courant et la vapeur ne manquèrent pas, le chasse-neige-bulle-rotatif fit son travail comme prévu, aucune bulle ne dérailla à cause de la glace sur la voie. L'express fit un bon voyage, lentement mais sûrement, et il descendit, à Bathurst, une Gabriella et un Evan très satisfaits. Après tout, quatre heures de retard, c'était peu à côté de douze, ce qui avait été très, très fréquent en décembre.

En racontant son voyage, Gabriella, chaque année, précise qu'en hiver elle préfère les trains-bulle à tout autre moyen de transport: auto-bulle, autocar-bulle, avion-bulle. Elle dit que les trains-bulle sont lents, d'accord, mais sains pour les nerfs, car les risques d'accidents mortels sont à peu près inexistants; les rares déraillements graves surviennent dans la plupart des cas avec les convois de marchandises.

Vingt sommes

Michel Martin

La nouvelle était maintenant connue à travers le monde, dans toutes les branches, dans tous les tunnels que les hommes avaient creusés et ceux que le monde avait faits par modification. L'étoile était proche et, cette fois, l'Anti-navigateur s'appelait Tango.

Pour lui, avec l'ère de la géante jaune, s'était ouverte l'ère de la peur. Peur des combats à venir, peur de la responsabilité de son rôle, peur minuscule, mais encore trop réelle, de l'échec de la manipulation.

Contre la peur, l'assurance que l'Arbre, leur monde, passerait loin au large de l'étoile, comme il avait toujours évité les autres étoiles auparavant. Contre l'erreur, la volonté de tous ceux qui priaient et plus tard se battraient pour la poursuite du voyage. Tango, l'Anti-navigateur, dirigeait leurs prières et leurs bras.

À travers les lunettes de pirpir il observait la géante. Ainsi grossie elle avait la taille d'un poing brandi à bout de bras. Il perdait son temps à compter les explosions qui brûlaient les hémisphères de l'étoile, de grands panaches de lumière qui remplissaient l'espace sans couleur et disparaissaient subitement, sans redescendre. Exactement comme Tango dans l'Arbre: apparaître et disparaître. L'unique condition de sa survie: apparaître et disparaître.

Il laissait se balancer ses longues jambes grêles dans l'espace, protégées par le feuillage d'amniron de la branche, et il sentait parfois les poussières noires s'agglutiner autour de ses pieds nus. Il les frottait l'un contre l'autre et laissait le feuillage faire le reste. Et la géante s'approchait, imperceptiblement, bien visible entre les voiles grandes comme dix mille bangs.

Des voiles déjà aux trois quarts repliées.

Tango ajusta encore les lunettes et se concentra sur les planètes qui se dessinaient loin des explosions. Elles étaient difficiles à voir parmi toutes ces étoiles. Trois points bleus et verts, quatre peut-être, s'il fallait en croire les calculs du Numérateur.

Il imagina un instant un jeu de boules isolées et immobiles autour de l'école, stériles et vaines, puis balaya l'idée avec humeur. Non, les planètes orbitaient. Elles bougeaient. Stupide de sa part d'avoir oublié.

Je n'ai jamais demandé à être Anti-navigateur, réfléchit-il. On m'a choisi. C'était une pensée affolante. L'Arbre était déchiré à cause de ces planètes. Combien de Planétaires combattraient pour que le voyage finisse là, autour de la géante? S'il le pouvait, il les empêcherait, bien sûr, mais était-il certain d'en être capable?

Je ne suis pas seul. Il répéta pour lui-même les mots qui le réconfortaient. Il y avait tous ces Anti-navigateurs qui, dans le passé de l'Arbre, avaient comme lui connu les heures du doute. Mais cela ne les avait pas empêchés de réussir dans la mission qui leur avait été confiée. Il connaissait Fare et Will, tant d'autres aussi dont les noms s'étaient effacés des mémoires du commun, tous ceux qui avaient dirigé les troupes quand les étoiles avaient enflammé le ciel de l'Arbre.

Il se retourna quand il sentit le crissement sur la surface cannelée de la branche-passerelle. On venait.

Le visage masqué par des lunettes de pirpir apparut derrière un bouquet d'amniron. Une main plate effleura sa moelle épinière de ses longs doigts graciles. C'était Mome; il reconnaissait son contact.

Il faut rentrer, disaient les doigts courant sur la crête nerveuse qui hérissait le maigre dos de Tango.

L'Anti-navigateur se mit sur ses pieds et suivit Mome dans le sas végétal. Derrière eux l'orifice se referma sur lui-même par glissement cellulaire, isolant la passerelle de la zone d'atmosphère.

— Le secteur est dangereux? demanda Tango en retirant les lunettes. Sa voix trahissait un début d'inquiétude.

— Tous les secteurs le sont depuis que nous sommes dans la sphère orbitale. Nous devons continuer à rester en mouvement si nous voulons échapper aux Planétaires. Ils commencent à être très actifs dans cette branche.

— Où irons-nous?

— Continuer d'avancer vers les racines. Les populations sont partagées mais mes éclaireurs vont identifier nos alliés. Nous n'avons plus le temps d'attendre les autres troupes.

Il marqua un temps.

— Les failles sont encore loin, fit-il.

Ils suivaient une longue route arrondie qui ne montrait aucune trace de travail humain. Seule la continuelle croissance de l'Arbre avait façonné ce passage plein de courbes raides et de boursouflures. Tout au bout, sur une corniche qui dominait les coudes de l'embranchement, Mome avait choisi un emplacement pour la troupe et le nœud qui servirait de demeure à Tango.

Ils entrèrent dans la pièce creusée à même le bois. Le rideau de fibres molles glissa doucement sur leur corps.

Le nœud était mal dégrossi, coupé à coups d'herminette donnés sans précision. Autour d'eux, les angles étaient tordus, atrocement déformés. De chaque côté de la pièce, des bancs rugueux qui émergeaient d'un mur, une table et d'autres bancs, une alcôve pour dormir.

Un jet de lumière s'échappait du plafond incliné: la fente d'aération venait d'être achevée.

— Tu auras disparu dans à peine un somme, dit Mome. Et je garantis ta sécurité jusqu'à la prochaine branche.

— Et ensuite?

— J'ai guidé Fare avant toi et il a rempli sa mission.

Sans cela l'Arbre n'aurait jamais continué le voyage, fit Mome patiemment. Il ne connaissait pas plus que toi les transformations naturelles de l'Arbre. Il se serait perdu sans moi. Mais c'est mon rôle de dresser les cartes, n'est-ce pas?

— Je sais que c'est toi qui as guidé Fare jusqu'aux racines, reconnut Tango. Mais cela n'a pas été facile. On me l'a dit.

— La bataille a été dure, c'est vrai, mais Fare a finalement vaincu les Planétaires à cause de la ténacité de ses troupes. Toi aussi tu réussiras, Tango. Et tu opéreras, toi aussi, la manipulation.

Tango passa sa main sur son crâne nu. La peau était fraîche et douce jusqu'à la crête gélatineuse qui ornait la partie postérieure de sa tête. Elle palpitait d'inquiétude. On était loin de la très désirable manipulation: atteindre les grandes failles et descendre jusqu'aux racines pour déployer la voilure et laisser l'étoile pousser l'Arbre en avant.

— Si seulement nous pouvions leur interdire l'accès des racines pour toujours, dit-il au bout d'un moment. Nous pourrions au moins agir en toute quiétude.

Mome haussa les épaules.

— Et voir ta peau se flétrir? Pour que ta tête noircisse jusqu'à l'os et que ta moelle coule sur ton dos comme une eau morte? En supposant que tu sois encore vivant pour le voir, Tango. Les Planétaires sont peut-être ignorants de bien des choses, mais même eux ne s'y risqueraient pas en dehors des temps froids. Crois-moi, Tango, les constructeurs ont voulu que le voyage ne prenne jamais fin et ils ont bien fait leur travail. Ils nous ont donné la connaissance des cartes et la clé des racines. Tant qu'elles seront à nous, nous serons toujours les premiers là-bas.

— Je ne sais pas, soupira Tango. Je ne sais pas si je réussirai.

— Comme Fare. Mais ne pense pas plus loin. C'est mauvais.

Les troupes progressaient, accouraient quand elles le pouvaient, vers les grandes failles qui donnaient accès aux racines pendant que les temps étaient encore froids. Bientôt, les voiles s'ouvriraient de nouveau et la zone redeviendrait mortelle pour les hommes et les femmes qui oseraient s'y aventurer. Mais il restait peu de temps pour agir et Tango ne l'ignorait pas. Les constructeurs, pensait-il, avaient vraiment décidé du sens du voyage.

Ils n'avaient laissé aucun autre message caché dans l'Arbre, à part cette zone profonde qui drainait l'énergie de la voilure. C'était cette chaleur qui nourrissait les peuples établis dans les branches tandis que le voyage reprenait dans la nuit. L'Arbre devait exister toujours et toujours continuer.

— Je me demande si nos ancêtres ont vraiment commis une erreur au commencement?

— C'est gravé dans les souvenirs de notre moelle, mensonge ou pas. Une planète perdue, brisée par les transformations, des hommes brisés par eux-mêmes... Nous ne sommes pas obligés d'y croire, mais nous devons la subir.

— Peut-être que les Planétaires cherchent le salut autour d'un soleil et nous dans la poursuite du voyage.

— On dirait que tu ne sais plus où est la vérité.

— Je sais où elle est, dit Tango. Mais je me demande pourquoi elle n'est pas partout.

Il s'interrompit. Un musik venait d'entrer dans le nœud, suivi du nourrisseur personnel de Tango.

— Tu n'as pas confiance en moi? demanda Mome.

La pensée vibra une fois encore le long de sa moelle épinière. *Parce qu'ils n'étaient pas seuls...*

— Oui, répondit-il. J'ai confiance.

Une mélodie lente mais insidieuse monta vers les angles déboîtés du nœud, un air joué sur un cornet à cordes. Le musik jouait comme si personne ne l'écoutait, les yeux clos.

Le nourrisseur de Tango dressa la table et déposa les plats de bois poli qui contenaient les jeunes pousses blanches et les sauces à base d'huile de graines.

Quand il eut terminé, Tango lui fit signe de sortir. Le musik fit de même sur l'invitation de Mome. Le rideau de fibres se referma avec un chuintement mou.

— Je connais si peu de choses sur la victoire de Fare, dit Tango en s'installant devant la table.

— Tu connais l'essentiel. Le reste n'aurait pu que te dérouter et semer le doute dans ton esprit. Tu en sais bien assez. Tout ce qui compte, c'est que j'aie démasqué les traîtres. Dans ton cas, il n'y en aura pas. Je suis prévenu. J'observe.

Le rideau s'écarta de nouveau et deux hommes entrèrent. Tango reconnut Rès, le Numérateur, et Carvin, le Stratège. Il les accueillit d'un lent mouvement de la tête, comme Mome venait de le faire, puis, de son propre chef, il dénoua le cordon qui retenait sa cape roulée sur ses épaules. Elle tomba jusqu'à la hauteur de ses reins avec un bruit feutré, cachant entièrement la crête de sa moelle.

Mome lui adressa un sourire amusé mais cordial. À son tour il laissa se dérouler le long manteau qu'il portait sur ses épaules. Les deux autres imitèrent son geste.

Le sourire de Mome lui avait redonné confiance. Il avait craint un instant que son compagnon refuse de le suivre dans le Conventum. La simple courtoisie demandait aux participants de dissimuler symboliquement leur moelle pour marquer leur confiance réciproque. Quand la confiance existait on en faisait la preuve. Tango n'agissait pas autrement quand il discutait affaires avec ses associés. Mais était-ce bien prudent maintenant de faire de même?

Il ne s'était pas trompé en décidant du Conventum; une douce chaleur lui noyait maintenant la poitrine. La confiance que l'on accordait aux autres était garante de la vérité que l'on attendait d'eux. C'était un principe aussi éternel que l'Arbre lui-même.

Rès et Carvin se joignirent à eux devant la table dressée. Tango appuya ses coudes sur la surface fraîche et inégale.

— Où en sont nos troupes? demanda-t-il en s'adressant à Carvin.

— Impossible de le dire avec précision, répondit le Stratège. Les communautés planétaires offrent une bonne résistance. Elles ne veulent pas laisser l'étoile leur échapper cette fois-ci!

— À combien de bangs sommes-nous de la géante?

Rès avala une pousse blanche et leva les yeux vers le plafond.

— La géante est puissante, dit-il. Sa force d'attraction dépasse tout ce que l'Arbre a connu dans le passé. Nous approchons un peu plus rapidement que je ne l'avais d'abord estimé. Peut-être cent millions de bangs avant que le vent de l'étoile ne gonfle de nouveau les pleines violes. À ce moment-là, la zone des racines sera totalement inaccessible, bien sûr.

Cent millions de bangs, réfléchissait Tango. Combien cela pouvait-il représenter de temps? Peu sans doute. «Pas tout à fait vingt sommes en progression normale», confirma Rès quand Tango risqua sa question. Moins encore qu'il n'avait osé le penser. La route se modifiait à mesure que les troupes avançaient et les vieilles cartes devaient constamment être corrigées. De nouvelles branches poussaient et se mêlaient aux autres pour former le labyrinthe changeant de l'Arbre... Leur allure en était d'autant ralentie.

— L'avance est régulière, reprit Carvin. Nous serons là-bas bien avant eux pour la manipulation de la voilure. Nous ferons durer le combat jusqu'au dernier homme si c'est nécessaire.

Le silence s'installa entre eux. Tango n'avait rien à ajouter. Des réponses imprécises, des incertitudes qui se cachaient derrière chaque mot. Il pouvait difficilement en être autrement à cause des modifications de l'Arbre. Jamais auparavant il n'avait senti à quel point il dépendait d'eux en toutes choses.

Il essaya de reconnaître la mélodie lointaine que jouait le musik à l'extérieur du nœud. Elle allait s'accélérant, comme pour annoncer l'inévitable affrontement. Cela faisait partie de l'histoire écrite de l'Arbre depuis longtemps, depuis le commencement des temps: la scission, la tension, la bataille, puis cette ultime manipulation qui précédait invariablement la réconciliation. Après, la sève solaire coulerait de nouveau dans les racines jusqu'aux branches comme elle devait toujours le faire chaque fois que l'Arbre croisait une étoile sur sa route. Tout allait s'accomplir comme cela avait été écrit. À cette différence près que, cette fois-ci, il était voix de ce cycle. C'était une tâche écrasante.

— Je vais dormir un peu, dit-il en se levant.

— Tu n'as qu'un seul somme à ta disposition, fit Mome sans le regarder. Après tu devras disparaître. Apparaître et disparaître, Tango, souviens-toi. Je suis là pour m'en assurer.

□

Dans l'éternité des bangs de l'espace, l'Arbre montait vers le sommet ou bien descendait jusqu'au fond. Les étoiles, une à une, avançaient vers lui ou bien il allait jusqu'à elles. Cela dépendait du point de vue des peuples de l'Arbre. Et il changeait souvent après chaque époque, chaque étoile. Le calme revenait ensuite, durant des milliards de bangs qu'avalait le noir absolu de l'espace. Mais il y avait toujours une autre étoile, là, en bas.

Au commencement, les constructeurs étaient venus imposer le châtiment. Les restes d'une humanité coupable avaient été scellés dans le bionavire qu'une jeune étoile avait poussé loin dans la nuit. À l'intérieur, les peuples se répandaient dans les branches en perpétuant la tradition morcelée qui était la leur. À l'extérieur, les concentrations de l'univers propulsaient l'Arbre toujours plus haut. C'était un aspect du cycle, invariable, éternel. Le reste n'était que paradoxe.

Et les étoiles arrivaient, marquant les bangs et les époques.

Cette époque n'était pourtant pas différente des autres. L'Arbre croissait comme il l'avait toujours fait, avec la même mesure et la même démesure; le froid de l'espace n'était ni plus froid ni moins froid; et la géante qui aspirait l'Arbre vers elle était pareille aux centaines de géantes que le monde avait connues auparavant.

Mais les souples créatures qui peuplaient son écorce et son cœur changeaient imperceptiblement, elles, au fil des millions de sommes. Il en avait fallu beaucoup pour en faire des créatures adaptées à leur monde neuf, et il en faudrait autant pour achever la métamorphose, si jamais elle devait avoir une fin. Les créatures pouvaient peut-être supporter le vide de l'espace et le bombardement des rayons cosmiques, ce dont aucun de leurs ancêtres n'aurait été capable. Au delà des transformations physiques cependant, la nature particulière de leur système nerveux restait la même.

C'étaient des créatures d'habitudes, mais elles ne l'étaient pas toutes. Parce que cela était écrit dans chacun de leurs chromosomes, le changement devait tôt ou tard se manifester. Et, obstinément, des peuples luttaient pour qu'il se réalise, contre la volonté d'autres peuples.

Mais cela non plus ne distinguait pas cette époque des autres.

□

Des bruits transpercèrent le vide de son sommeil.

Carvin le stratège finirait par mentir sur les positions des troupes.

Rès mentait déjà sur les nombres.

Mome le perdrait dans une embuscade.

Tango se réveilla brusquement et se dressa sur sa couche. Des hommes se battaient à l'extérieur du nœud.

— Mome!

Une ombre s'approcha du lit. Mome était essoufflé et dégageait une aigre odeur de transpiration.

— Ils ont encerclé le nœud, disait la voix saccadée. Il y a une autre sortie dans le sol. Elle mène à un tunnel naturel qui va jusqu'à une branche indépendante. Suis-la. J'ai une troupe à cinq bangs du point d'eau. Ils te reconnaîtront. Va!

Mome saisit le tourne-lame qui gisait à ses pieds et disparut vers le rideau de fibres molles sans un mot. Tout autre échange était inutile. De l'autre côté du rideau, le combat se poursuivait dans un mélange de cris et de tintements de tourne-lame.

Tango revêtit précipitamment sa cape pour protéger sa moelle épinière à vif et l'attacha à la taille.

Le tunnel apparut enfin devant lui, bas et étroit. Il s'engagea à pas prudents sur le sol spongieux. L'odeur du bois pourrissant monta jusqu'aux fentes de ses narines. Peu importait ce qu'avait dit Mome maintenant: il n'avait plus d'autre choix.

Dans le tunnel, les plaques de bactéries étaient nombreuses. La pâle lumière qu'elles dégageaient éclairait sa course pendant que derrière lui le fracas de l'attaque s'éloignait peu à peu.

Ai-je peur? se demandait-il. Oui, cela commençait. Ce qu'il avait craint depuis le début jusqu'au fond de son âme.

Ses pensées se bousculaient le long de sa moelle à mesure qu'il courait, évitant de justesse les obstacles. Il tombait, se relevait en sueur et fonçait de nouveau vers une nouvelle zone de lumière.

Pourquoi? Qui voulait d'une planète pour remplacer l'Arbre? Tant d'hommes, tant de femmes! Combien de femmes auraient pu le convaincre de renier son rôle d'Anti-navigateur...? Toutes ces choses que les Planétaires croyaient savoir sur les planètes, leurs couleurs et leur spectre chimique, mais qu'ils n'avaient jamais senties sur leur peau et leur moelle. La chaleur du vent solaire à travers une atmosphère, la clarté absolue, et les esprits qui parlaient un autre langage. Un monde avec d'autres lois qu'on ne comprenait jamais complètement. Et pour quoi faire?

C'était à cause des femmes.

Les femmes avaient une autre nature; cela aussi était écrit dans les livres qui restaient. Fare et Will avaient dû découvrir avant lui la divergence d'opinion qui partageait les hommes, et elles étaient la source de la réponse. Mais ses prédécesseurs n'avaient pas compris, eux non plus. Le pouvoir des femmes prenait toute son importance lorsqu'on se rappelait que les livres qui existaient encore étaient déjà les restes des restes et que, malgré cela, la différence y était écrite.

Bien après le point d'eau où personne ne se baignait, Tango entrevit des silhouettes qui se mouvaient à la sortie de la branche. La troupe était bien là, à l'endroit que lui avait indiqué Mome. *Ils te reconnaîtront,* avait-il dit.

Le chef — celui qui semblait être le chef — vint à sa rencontre, les bras ouverts en signe de bienvenue. Il s'appelait Eff et il avait déjà vu des photos de Tango qui circulaient dans les communes.

On lui offrit un lit, mais Tango refusa.

— Que s'est-il passé? demanda-t-il pendant que le chef l'entraînait vers la table des repas.

— J'avais des hommes dans le secteur, répondit Eff sur un ton apaisant. Nous le saurons bientôt. Bahr développe les photos qu'ils ont prises. Tu as faim, Tango?

— Non. Je veux seulement savoir où nous en sommes.

Eff s'empara d'une grande écuelle, la plongea dans le

tronc communal et porta le brouet fumant à sa bouche.

— Les troupes les plus rapprochées des failles doivent être à soixante bangs. Mais on avance lentement.

— Nous sommes moins nombreux que prévu?

Le chef fit signe que oui.

— Vous viendrez avec nous, Tango.

Ce n'était pas une question, Tango le comprit sur-le-champ. Il connaissait trop mal la route: seules les troupes pouvaient s'y retrouver dans les nouvelles branches et les nouveaux tunnels à partir des cartes de Mome.

— Il y a une chose, dit-il enfin. Je veux que toutes les troupes sachent que l'Anti-navigateur est encore là, bien vivant.

— J'enverrai des messagers, dit Eff. Nous partirons dès que nous aurons les photos.

Tango commença à manger, mais sans appétit. Il repensait avec douleur à l'absence de Mome. *Il ne devait pas se retrouver seul.* C'était la condition première pour faire échec à la contre-manipulation des Planétaires. Difficulté de n'être qu'un symbole dans une guerre qui se jouait partout dans le ventre de l'Arbre. Maintenant, il était aussi vulnérable qu'un aveugle abandonné.

Bahr, un homme trapu qui traînait avec lui un sac bardé de métal, s'approcha d'eux. Il en sortit six photos qu'il montra à Eff, mais Tango les prit des mains du chef sans avertissement.

Sur les minces tablettes vertes apparaissaient les silhouettes de trois hommes attachés à des piliers de bois. Un groupe de femmes — des *silhouettes* de femmes — occupait l'arrière-plan. La scène se déroulait dans une communauté quelconque. Rien qui n'existât pas au moins à des milliers d'exemplaires dans le monde. Nœuds creusés dans la falaise végétale, maisonnettes inachevées, points d'eau et bassins pour recueillir le précieux liquide jailli des jeunes branches entaillées.

Les traits des visages étaient indistincts, mais le

doute n'était plus permis: c'était bien Mome qui était là, la tête sur la poitrine, anéanti.

Tango laissa ses doigts glisser sur la surface des photos, mais sans pouvoir découvrir si elles avaient été redessinées.

— Ce n'est pas arrivé à Fare, dit-il d'une voix brisée.

Eff posa la main sur son épaule affaissée.

— Nous sommes là pour te guider. N'aie pas peur.

— Il faut les libérer.

Le chef hocha la tête en signe de doute. Sa torche répandait une lueur glauque autour de lui et sa longue barbe filasse de jeune homme jetait une ombre tremblante sur le sol.

— Trop de bangs entre nous et eux, dit-il, et pas assez de temps. J'enverrai des hommes si tu y tiens absolument. Mais nous ne pouvons attendre leur retour. Il faut continuer à descendre jusqu'aux racines. Tu es plus précieux que Mome et les autres... Que l'Arbre te protège!

Tango jeta les photos et frappa la torche de son poing.

— Il n'y a pas de plantes où elles puissent vivre! s'écria-t-il. Rès lui-même n'a pas les instruments pour le savoir. Pourquoi persistent-elles dans leur folie?

Eff reprit la torche et la replaça dans son orifice.

— Ce n'est pas ce qui compte pour les femmes, dit-il. Elles veulent une étoile, un point c'est tout. Les hommes qui combattent avec elles en veulent une aussi. Si aucune plante ne peut les recevoir, l'Arbre deviendra un autre astre autour de la géante. Ils en ont ainsi décidé. Moi-même je n'avais jamais vu une étoile d'aussi près. Je suis né longtemps après la mort de Fare.

— L'Arbre n'aurait plus de sens si elles réussissaient dans leur entreprise.

— Le monde changerait.

— Mais il n'y aurait plus d'espoir!

— Je sais, reprit Eff. Mais pour l'instant c'est toi, l'espoir.

Il termina son repas et donna des ordres. Deux groupes d'hommes quittèrent le camp: un pour libérer Mome — Tango l'espérait — l'autre pour répandre la nouvelle que lui, Tango, était toujours libre de marcher vers les racines. Puis, lorsque les tentes furent démontées, la troupe s'engagea sur la branche qui s'étirait vers un nouvel embranchement, avec ses courbes et ses montées. À ce moment-là, Tango retrouva un peu de joie.

Les embranchements se succédèrent bientôt: les communes obscures et les villages creusés dans la chair végétale, des escaliers vertigineux, taillés pour la plante rugueuse de leurs pieds, qui menaient parfois à des passe-relles d'observation de l'espace enveloppées de bosquets d'amniron.

Tango profitait des haltes pour s'entretenir avec Eff, lorsque c'était possible. Ou bien il s'attardait seul sur une passerelle et regardait la géante et ses planètes à travers les lunettes de pirpir. La nourriture était bonne et les communautés alliées les recevaient toujours avec chaleur. On réparait les vêtements et les armes, on dressait les lits dans les nœuds mis à leur disposition ou dans les replis végétaux des cavernes, à l'abri des troupes ennemies.

Parfois, Eff lui parlait des branches qui se modifiaient et changeaient de direction sur leur route. Elles se mélan-geaient les unes aux autres en un processus lent et compliqué, ou alors si subitement qu'elles causaient ces bruits inexplicables qui provenaient des fonds éloignés.

Après une longue marche dans un pays touffu et vide de lumière, ils s'engagèrent sur un mince pont effilé qu'Eff n'avait jamais vu auparavant. Il enjambait une vaste caverne habitée par une communauté de Planétaires. Il avait bien fallu attendre que vienne leur période de sommeil avant de se risquer à passer. En bas, dans les maisonnettes fragiles des nomades, les femmes et les enfants dormaient tandis que les hommes, épuisés par la garde, avaient fini eux aussi par céder à la fatigue. La voie était libre.

Ils cheminèrent encore longtemps après le passage du pont. Le chef marchait en tête et ce n'est que lorsqu'il reçut le rapport de ses éclaireurs qu'il se décida à planter les tentes sur une corniche qui surplombait l'embranchement suivant.

Deux hommes furent chargés de dresser l'abri de Tango avec des tiges et des toiles.

— Cette branche n'est pas sûre, expliqua-t-il à Tango qui regardait les hommes travailler sous les plaques de lumière pâle. Mes hommes ont repéré les traces laissées par une troupe de Planétaires. À partir de maintenant, nous allons profiter des périodes de sommeil pour voyager.

— Pas sûre? Alors, pourquoi nous arrêter?

— L'Arbre est grand et les communautés de cette branche ont la réputation de changer vite de camp. Il y a souvent des guerres dans cette région et mes hommes croient que certaines d'entre elles ont pu passer du côté des Planétaires.

Le repas se termina dans un silence parfois interrompu par des bribes de conversation à voix basse. La descente durait maintenant depuis quatre, cinq sommes? Déjà Tango n'aurait pu le dire avec certitude. Il ne savait rien, ne voyait rien. Il imaginait à partir des paroles d'Eff. Eff seul savait.

Quelqu'un gratta les plaques de bactéries. L'obscurité enroba le camp.

☐

Couché sur son lit de fibres, Tango cherchait le sommeil.

Il lutta pendant un temps indéterminé pour finalement s'envelopper dans un engourdissement contraint. Une conversation animée le tira de la somnolence inconfortable où il avait sombré.

Il se leva péniblement.

— Les hommes ont réussi, lui dit Eff quand il le vit apparaître. Mome a été libéré. Avec les autres.

— Où sont-ils?

— Ils ont pris une autre route. Nous allons les rejoindre en changeant de branche, si tu veux. Mais cela peut nous retarder.

— Loin?

— Je ne sais pas au juste. Je ne connais pas toutes les modifications qui se sont produites par ici. Pas trop, je dirais.

La libération de Mome ouvrait de nouveau la route devant eux, mieux que ne pouvaient le faire toutes les cartes qu'il avait dessinées. Tango redécouvrait le sens du voyage avec le retour prochain du guide parmi eux, le sens de la guerre que les peuples se livraient depuis l'annonce de l'étoile. Il redevenait le symbole unique de la marche qui devait les mener jusqu'aux racines cachées, l'Anti-navigateur, celui qui devait opérer la manipulation au nom de tous.

— Mes hommes les escortent jusqu'à la commune de Foron, ajouta Eff. Tu dois prendre une décision.

— Mome est mon guide, dit Tango qui sentait ses mains trembler sous la cape qui couvrait son corps. Nous avons tous besoin de lui pour gagner la course jusqu'aux racines.

Eff ordonna l'arrêt de la troupe pour le temps d'un somme. La fatigue ralentissait la marche et le travail des éclaireurs devenait inutile tant qu'on ne pouvait pas suivre le rythme.

Mome écouta ses explications sans protester. Sa moelle était molle et chaude de plaisir.

— Je voudrais boire quelque chose, dit-il au chef.

— Il reste du sévon chaud d'hier, proposa Eff. Je vois que l'Anti-navigateur est encore parmi nous...

Ils burent d'abord quelques gobelets à l'extérieur, puis Tango invita le chef dans son abri. Ils s'assirent à même le sol crevassé, l'épaisse cruche posée entre eux.

— Tu ne dois pas perdre confiance, disait Eff. Mon père a connu Fare et il disait que la victoire l'avait beaucoup vieilli. Il disait que Fare était rongé par le doute: avait-il commis une erreur? La veille même de la manipulation il avait failli rebrousser chemin. Les femmes savaient ce qui était bon pour l'Arbre parce qu'elles étaient ses vrais enfants. Ce sont ses propres paroles.

Tango écoutait en buvant à petites gorgées. Ses yeux demeuraient fixés sur les lèvres sèches d'Eff. Sèches comme le sol, ses lèvres.

— Il disait aussi: «Pourquoi les femmes? Je remonte dans le passé et je ne trouve rien. Elles ont reçu l'Arbre comme les hommes et elles se sont embarquées avec eux». Mais j'ai dit à mon père que les femmes ne pensaient pas au passé. Elles disent seulement que personne ne sait où va l'Arbre.

— Je ne sais pas moi non plus si nous avons une destination, reprit Tango.

— Cela rongeait aussi l'âme de Fare.

— Et la tienne, Eff?

La main droite du chef balayait des débris de plaques répandues à leurs pieds; les grains de lumière s'y agglutinaient et la transformaient en spectre jaune.

— La voilure a besoin d'une étoile pour partir. Les Planétaires prétendent qu'une étoile devrait nous suffire. Ils disent qu'on a le droit de creuser son nœud n'importe où. L'énergie captée par les feuillages d'amniron suffirait à maintenir l'Arbre en vie.

La voilure. Tango la voyait se déployer sur le fond impénétrable de la nuit, immense, fabuleuse, si... nécessaire. À la pensée que ces voiles puissent se recroqueviller jusqu'à disparaître à tout jamais, sa moelle se contractait douloureusement. Les Planétaires n'avaient-ils aucune âme?

— Tango te le dit, Eff: peut-être que l'Arbre est une

destination ultime. Une planète ne va nulle part, nous le savons. Elle tourne autour de son soleil.

— Et nous? D'où venons-nous, crois-tu? Mome t'a-t-il dit ce que Fare racontait?

Tango fit signe que non et remplit son gobelet.

— Fare a vu des livres. Il a parlé à mon père.

— Ces livres ont disparu après sa mort, coupa Tango, l'air renfrogné.

— C'était un monde rouge avec du sévon qui tombait du ciel parfois, continuait Eff sans prêter attention à l'interruption. Rouge comme le cœur du feu. Il y avait des hommes, des femmes et d'autres esprits qui bougeaient et volaient partout. Et une étoile qui était toujours là, après chaque somme.

— C'était une planète, trancha Tango comme si tout était dit.

L'ombre d'un sourire passa sur les lèvres d'Eff.

— C'était un monde qui vivait, avec ou sans nous. Peut-être vit-il toujours...

Le poids se fit plus lourd sur les épaules de Tango.

— Je ne sais pas, soupira-t-il. N'oublie pas que les constructeurs ont donné l'Arbre à nos ancêtres.

☐

Chaque halte était pour Tango l'occasion d'une lutte pour le sommeil dont l'Anti-navigateur sortait toujours perdant. Des images se bousculaient dans sa tête, des bribes de rêves qui s'entremêlaient. L'Arbre était une planète rouge autour d'une étoile, jaune comme la géante, planète sans voilure et prisonnière. L'horreur de sa vision le laissait frémissant sur sa couche. Dans un autre cauchemar, Eff démontait le camp en silence pour ne pas le réveiller: Il se retrouvait alors seul et perdu dans le labyrinthe des nouvelles branches.

Alors il se dressait en tremblant dans l'obscurité de sa

tente. Le signal du départ résonnait encore près de son oreille.

À trois reprises, ils durent se cacher dans les orifices des branches pour laisser passer des Planétaires — des femmes surtout, constata-t-il — qui avançaient en rangs serrés. Eff affirmait qu'on ne pouvait pas se battre contre des patrouilles si nombreuses et si bien armées. Il invoquait de nouveau la sécurité de l'Anti-navigateur.

— Nous approchons de la commune de Foron, lui expliquait-il alors. Elle est située près des grands puits de minerais. C'est là que Mome nous attend.

Les sommes s'écoulèrent, avec d'autres alertes et d'autres troupes qui descendaient en toute hâte vers les grandes failles. En interdisaient-elles déjà l'accès? se demandait Tango avec inquiétude. En entendant leurs pas sur le sol, tandis qu'il restait caché dans son trou, il se sentait perdu et humilié. C'était déjà le pas des troupes victorieuses qui cognait dans sa tête et engourdissait la moelle tendue. La manipulation était encore loin.

— C'est là-bas!

Enfin, après tant de sommes aveugles, la commune de Foron était en vue. Un village qui se confondait avec le feuillage des branches environnantes, une ronde de maisonnettes branlantes et de jardins carrés qui remplissaient le creux de la caverne. Du haut de la corniche, les puits de minerais qui déchiraient le ventre de l'Arbre étaient eux aussi bien visibles et dégageaient une odeur lourde, étouffante.

Tango dépassa la troupe et courut vers les premières tentes où se reflétait l'éclat bleuté des puits de minerais. Elles formaient un anneau régulier autour d'un grand jardin de pousses blanches où des femmes travaillaient avec des gestes d'esclaves soumises. Un chant aux accents monotones montait du groupe de travailleuses.

— Je suis là, Tango! s'écria Mome qui l'attendait au milieu de la place.

Derrière eux, la troupe d'Eff arrivait à pas lents.

Tango serra Mome dans ses bras.

— Je ne pensais pas que je te reverrais.

— Sois rassuré maintenant. Je ne suis pas mort.

— Nous avons vu des Planétaires...

Mome relâcha son étreinte.

— Nous aussi, dit-il gravement. Ils sont très nombreux. Nos troupes approchent du point de rallie-ment, à la bordure de la région des failles. Il y a eu des affrontements à vingt bangs d'ici, mais nos hommes s'en sont bien tirés. Nous pourrons reprendre la route dès que tu te seras reposé. Mais pas davantage.

Tango comprenait ce que cela voulait dire. Il observa les femmes qui s'affairaient dans le jardin comme si elles n'avaient pas remarqué son arrivée.

— Foron s'est emparé de cette commune de femmes par la force, expliqua Mome froidement. C'est un point stratégique important pour l'instant, Carvin m'en a donné l'assurance. Mais si les attaques continuent à se multiplier nous devrons l'abandonner.

— Les Planétaires ne t'ont pas fait de mal? demanda Tango.

Mome ricana nerveusement, comme sous l'effet d'un mauvais souvenir.

— Pas vraiment. Ils voulaient que je leur dessine mes cartes de mémoire. Eux aussi ont été retardés par les modifications. Mais tu dois être épuisé. Je te fais préparer un bain?

Tango accepta la proposition avec un sourire las. Après cette course folle vers la silhouette de Mome et tous ces sommes de cauchemars, il commençait maintenant à ressentir les effets de la fatigue sur son épiderme même: une légère démangeaison parcourait continuellement son corps pour finalement trouver refuge le long de sa moelle épinière. Mome, quant à lui, semblait plein d'énergie et de force. Il pourra reprendre la tête, pensa Tango. Il sera plus fort que jamais.

— Il y a une cabane pour toi, là-bas, fit le guide en indiquant une construction de feuillage à quelque distance du centre du village. Une femme ira te laver... L'Anti-navigateur n'a rien à craindre des paroles d'une femme, n'est-ce pas?

Tango chercha l'ironie dans la remarque, mais Mome avait déjà tourné les plantes bruyantes de ses pieds vers une autre direction.

Sous les bouquets d'amniron qui débordaient d'une passerelle d'observation, la maisonnette était en réalité faite de bois léger, patiemment arraché aux jeunes branches. Elle s'élevait près d'un bassin peu profond: en position assise sa tête allait tout juste dépasser la surface de l'eau.

Il se déshabilla et sauta dans l'onde tiède. L'eau toujours tiède de l'Arbre, issue de ses cellules même, glissa sur son corps écrasé de fatigue.

Une femme le suivit presque immédiatement, portant de souples serviettes végétales. Un soupçon d'inquiétude s'évanouit quand il vit les deux hommes de Mome qui montaient la garde à proximité.

La femme commença à lui frictionner le dos. Ses gestes avaient quelque chose de sobre et de respectueux. Tango sentit sa moelle se détendre progressivement sous la main experte de la masseuse. L'apex de la voûte — une branche gigantesque dont il ne distinguait pas les bords perdus dans le feuillage — s'élevait au-dessus du bassin. Des ouvertures laissaient passer plusieurs jets de lumière qui plongeaient dans l'eau claire.

— Tu es un homme important, dit enfin la femme. Plus important que mon père.

Tango garda le silence.

— Mon père a déjà combattu, reprit-elle. Il est mort dans les grandes failles.

Il sentait qu'elle prenait plaisir à lui parler. De bonne

grâce il la laissait monologuer. Quel mal pouvait-il y avoir? Son babil le reposait autant que ses mains.

Tango avait déjà été lavé par des femmes aupara-vant, mais cela s'était passé loin d'ici, dans sa commu-nauté natale. Son frère le lavait aussi, parfois. Là-bas, il se tenait le plus possible loin des femmes. Les éducateurs l'y contraignaient pour son propre bien et celui de ceux qu'il devrait guider. Et maintenant, ce n'était guère différent: par définition, Tango évitait la compagnie des femmes. Pourquoi aurait-il dû en être autrement?

— Il n'y a pas de place pour nous autour de l'étoile, annonça-t-il de sa voix la plus autoritaire.

Elle interrompit le massage pour le dévisager.

— Je l'ai vu avec les lunettes, dit-elle. Sa voix était curieusement flûtée, respectueuse, craintive. C'est une étoile très grande et très puissante. Il y aurait de la lumière chaude sur les feuillages et un ciel toujours brillant sur les passerelles. Mon frère dit que nous pourrions nous arrêter ici.

Les paroles de la femme l'irritaient soudain. Le faisait-elle exprès? Dans sa commune, aucune femme ne lui aurait adressé la parole sans d'abord lui avoir demandé la permission. À lui ou à tout autre homme de la commu-nauté. Les Planétaires étaient reconnus pour laisser ce genre de liberté à leurs femmes — Mome ne lui avait-il pas déjà expliqué que chez eux les femmes décidaient des unions et des divorces? — mais allaient-ils jusqu'à abdi-quer tous leurs droits de préséance? Cette Planétaire était vraiment agaçante.

— Non, pas question! coupa-t-il; mais la réponse semblait venir un peu trop tard. La femme avait repris le lent massage des abords de la moelle qu'elle n'effleurait même pas.

— Rès t'expliquera, ajouta-t-il quand même, pour sa satisfaction personnelle. Cette étoile peut aussi nous faire tous mourir.

À son grand étonnement, la femme reprit:

— Je ne le crois pas. Ce n'est certainement pas cela qui est la cause des combats près des racines. C'est la peur de voir le monde changer.

Tango n'insista pas et l'écarta d'un geste brusque. Physiquement il se sentait mieux, déjà presque reposé. La Planétaire avait bien fait son travail de femme, mais il s'en voulait de l'avoir écoutée.

Quand il releva les yeux, elle était toujours là, la serviette à la main. Elle l'observait sans pudeur.

— Je ne voulais pas que vous pensiez que je suis votre ennemie, Anti-navigateur. Je sais que vous devez faire ce que vous faites. Il n'y a rien de mauvais dans cela. Je voulais... Je voulais seulement avant que vous partiez...

— Qu'est-ce que tu veux encore?

— Bon pied, Tango!

Elle pâlit brusquement puis s'enfuit à pas légers vers le groupe de femmes qui continuaient à travailler dans les jardins.

Il réfléchit un instant au sens profond que pouvait contenir la salutation mais n'y trouva aucune intention cachée.

Mome l'attendait dans la cabane en buvant du sévon.

— La femme t'a parlé? demanda-t-il sans paraître avoir entendu.

— Oui. Comment le sais-tu?

— J'ai vu. Qu'est-ce qu'elle t'a dit?

Tango réfléchit avant de répondre.

— Rien qui vaille la peine de s'en souvenir.

— Excellent! lança Mome en levant son gobelet en direction de Tango. Tu vois, Tango, il y a plusieurs façons de se faire tourner la tête par une femme. Et ce serait une erreur de croire qu'il faut en être amoureux pour être sa victime. Viens ici, je vais te montrer ton équipement.

— Tout de suite?

Mome se dressa sur ses chevilles et eut un geste insistant:

— Tout de suite, parce que plus tard nous devrons partir. Des éclaireurs de l'arrière-garde sont venus me voir tout à l'heure pendant que tu te faisais dorloter par ta femelle. Une dizaine de milliers de Planétaires sont en route vers les failles. Même en comptant le temps qu'ils mettront à les découvrir, nous ne pouvons pas nous permettre de rester sur place plus longtemps. Les hommes ont déjà leurs ordres. Nous devrons partir au milieu de la période de sommeil.

Tango tomba sur ses genoux. Partir déjà? Le chaud contact des mains de la femme était encore tout près de sa moelle. Partir? Quitter déjà le souvenir du bain tiède?

L'imminence du départ semblait avoir redoublé les énergies de Mome. Le guide déroulait avec entrain les grandes nattes tressées en forme de sacs que les hommes devraient porter durant le reste du voyage. Avec un cliquetis métallique, les instruments roulèrent sur le sol.

Mome écarta un rouleau de câbles, ignora un crochet de bois dur et choisit une courte jaquette à l'encolure étroite.

— Enfile ça, dit-il en continuant à fouiller dans le sacoche.

Tango passa rapidement le vêtement par-dessus sa tête mais sans grand enthousiasme. Seules les épaules étaient recouvertes. Les manches s'arrêtaient à la hauteur des biceps et étaient percées de cinq trous renforcés de métal martelé. L'ensemble n'était ni beau ni confortable.

— Mets les gants, dit Mome en lui tendant de longs gants bruns qui s'ajustaient parfaitement à ses bras. Ils étaient perforés comme la jaquette. Les mêmes renforts de métal mat les alourdissaient.

— Ça s'attache ensemble? s'enquit Tango en examinant ses mains finement gainées dans la souple substance végétale.

— Oui. Avec ça.

Il lui lança un paquet de bandes molles que Tango reconnut immédiatement: c'étaient les mêmes que les femmes utilisaient pour faire les attaches des lits et des hamacs. Sous la dent des femmes — sous l'action de la salive, avait jadis précisé un de ses compagnons — les fibres macérées et patiemment mâchées acquéraient une résistance remarquable. Jamais il n'aurait pu en déchirer une avec ses propres dents.

— Frotte tes mains l'une contre l'autre, dit Mome.

Au premier geste ses mains se soudèrent ensemble. Tango lança un regard désespéré en direction de Mome.

— Écarte lentement tes mains, maintenant. Sans tirer.

Les paumes se séparèrent avec un petit bruit de friction. Un bruit qui lui était étrangement familier.

— C'est comme...

— C'en est. Je n'ai aucune raison de te le cacher: c'est de la peau de pied tannée. Et au cas où tu aurais oublié de te poser la question sur la veste, elle est faite de quatre couches de peau humaine tannée avec amour. Tu as quelque chose à dire?

Tango se renfrogna. La surprise n'était pas encore tout à fait éteinte — s'éteindrait-elle jamais? — mais c'était l'apparente insouciance de Mome qui le choquait le plus. Au fond de lui-même, il savait depuis longtemps que les Planétaires étaient censés utiliser la peau humaine, mais il avait toujours rejeté ces rumeurs comme autant de mensonges destinés à dénigrer l'ennemi. Simple propagande pour galvaniser les forces de ses troupes.

Il était difficile maintenant d'accepter le fait que l'Anti-navigateur dût cautionner les mêmes pratiques dans son clan.

Résigné, il corrigea mentalement: les mêmes *techniques*.

Un frisson le saisit et il tenta d'enlever les gants. Dans

son empressement ses paumes entrèrent de nouveau en contact et ses mouvements s'arrêtèrent net.

— Tu peux penser ce que tu veux des méthodes que nous utilisons, fit Mome, mais je crois que tu mettras tes scrupules de côté quand nous serons dans les failles. Avec ces gants, tes mains seront aussi sûres que tes pieds. Tu auras l'occasion de t'entraîner pendant les pauses si le cœur t'en dit.

Il fouilla encore dans le sac.

— Même à marche forcée, reprit-il, nous ne devrions pas atteindre la première faille avant deux sommes. Tiens, voilà tes cordes...

Tango reçut les deux rouleaux sur ses genoux. Un bref examen le rassura: les cordes n'étaient pas différentes de celle qu'on utilisait d'habitude. Il fit rouler entre ses doigts le nœud coulant à la recherche de l'imperceptible défaut, mais il n'en trouva aucun. Les gracieuses mains des femmes avaient modelé avec art le double nœud sacré.

— Pourquoi deux cordes? demanda-t-il soudain, surpris de son inconscience.

— Pas deux, trois. Voici l'autre.

Un troisième rouleau atterrit devant lui.

— La descente sera longue, expliqua Mome. Je serais étonné que tu n'en perdes pas au moins pendant les sauts. Au fait, il y a longtemps que tu as sauté?

Tango voulut se redresser, mais la cabane était trop basse pour sa stature. Sa tête alla donner contre le plafond mou.

— Je suis aussi capable que toi de sauter! fit-il d'une voix étouffée.

Il y avait eu dans le ton de Mome un rien de sarcasme qu'il lui était difficile d'accepter. Mais il comprit aussitôt combien sa colère était ridicule. Ridicule mais doublement encourageante, car il lui était impossible de répliquer sans se couvrir davantage de honte. Malgré son âge — presque trois fois autant de sommes que Tango — Mome avait conservé une forme que bien des jeunes lui enviaient, Tango le premier. Ignorant les conseils des maîtres du village, Mome s'était occupé jusqu'à un passé récent de l'entraînement des cueilleurs de pousses. Et ces jeunes fanfarons apprenaient vite à respecter leur aîné, le meilleur sauteur.

Tango en savait quelque chose: plusieurs sommes auparavant, il avait été un de ces jeunes fanfarons.

— Alors tu n'as rien à craindre, fit Mome pour calmer l'irritation de l'Anti-navigateur. Ce ne sera pas très différent de ce que tu as toujours fait, l'équipement spécial que tu portes en moins. La seule différence importante est le temps de la descente.

Tango distingua un mince sourire sur les lèvres sèches du vieux guide.

— Et de la remontée, bien sûr.

□

Tango avançait d'un pas élastique sur la branche tortueuse. La faille était proche, il le sentait au plus profond de lui-même. Mome l'avait dit.

En observant son plus proche compagnon, il répétait mentalement les instructions du guide. En cet instant précis, chacun des hommes du groupe devait faire de même. Pour éviter toute maladresse — le mot avait plu à Tango — les vingt hommes devaient sauter dans un ordre établi d'avance. Une fois le saut accompli, il suffisait de dégager le lieu de l'impact pour le sauteur suivant. L'important était de se souvenir qui sautait avant lui. C'était la simplicité même.

Malgré tout le saut gardait son mystère. Les explications de Mome se mêlaient dans sa tête. La hauteur n'était pas un problème, lui avait-il affirmé. C'était la conséquence inévitable de la vie sur un monde faible en densité, à peu près complètement dénué de métaux lourds. Existait-il des métaux légers? se demandait Tango, amusé.

Mais ce n'était pas le plus déroutant. Mome n'avait-il pas affirmé que sur une planète — *et pas n'importe quelle planète* — lui-même, Tango, serait *plus lourd.* Comment cela se pourrait-il? Deviendrait-il plus gras? Et pourquoi? La nourriture serait-elle si différente? L'explication de Mome ne lui avait pas paru plus compréhensible que l'énigme qu'elle était censée éclaircir.

Il avait joué avec le paradoxe pendant un somme puis il l'avait oublié. Une raison de plus, s'il en était besoin, de ne jamais mettre les pieds sur une planète. Sa taille actuelle lui convenait parfaitement.

Quand le cri jaillit de l'autre côté des masses sombres du feuillage il courut comme les autres à perdre haleine. Et quand il s'arrêta, c'était parce qu'il ne pouvait aller plus loin.

La faille apparut comme une blessure dans la chair même de l'Arbre. La comparaison avait jailli spontanément dans l'esprit fatigué de Tango. Les vastes falaises jumelles formaient une plaie brillante dans le paysage fermé par les branches environnantes. Ici, les plaques bactérielles envahissaient jusqu'aux ramures premières. L'effet était saisissant.

Aussi loin qu'il pouvait voir, le ciel blême montait à l'assaut des hautes branches. Mais la partie supérieure de la faille n'intéressait pas Tango. Le but de leur quête était en bas.

Du haut de la large branche qui faisait un coude vertigineux au-dessus de l'abîme, l'Anti-navigateur contemplait le puits lumineux. La clarté grise rendait plus étrange encore les profondeurs du gouffre. Il lui semblait que son regard plongeait vers une lumière de plus en plus intense. Illusion de la perspective. Tango savait que la densité des bactéries n'augmentait pas avec la profondeur et que leur descente se ferait tout entière dans la même luminosité blafarde.

Mome regardait pensivement au fond de la crevasse.

— Je n'ai jamais su pourquoi les plaques étaient plus nombreuses dans les failles et personne n'a jamais pu me l'expliquer. J'ai bien peur que cela reste à jamais un mystère de l'Arbre.

Il releva un visage souriant vers Tango.

— Quand Fare a vu sa première faille, il a pris peur. La lumière le terrifiait. As-tu peur, Tango?

L'Anti-navigateur hésita. Peur? Fallait-il appeler peur la vague tension qui serrait sa moelle à la vue des entrelacs de branches qui se fondaient dans les profondeurs? Le saut dans les failles, admit-il, n'avait plus rien de commun avec la cueillette des pousses à laquelle il s'était livré jadis. La longueur des sauts, subitement, échappait à tout calcul de force et d'élan. Aucun point d'impact visible n'était à sa portée.

Mome sauta en avant en étendant ses bras devant lui. Sous le regard fasciné de l'Anti-navigateur, il traça une longue diagonale en travers de la faille, s'enfonça dans le tableau lumineux des branches en folie. Il semblait ne plus jamais pouvoir s'arrêter.

Tango échappa à sa fascination quand il vit le guide atterrir dans un poudroiement de plaquettes brillantes. Pendant une fraction de souffle, on crut qu'il allait retomber en arrière, mais la main du guide bondit vers la sécurité d'un massif feuillu qui tapissait la surface de la faille. Il se retourna — le sourire familier barrait à nouveau son visage — et fit le geste convenu. Le deuxième homme s'apprêta à prendre son élan.

L'Anti-navigateur observait avec angoisse ses compagnons sauter. Quand vint son tour, il oublia la main de peur qui serrait sa moelle et bondit en avant. L'envol suivit le saut dans le silence absolu et il se retrouva à côté de ses compagnons, ses paumes rugueuses s'agrippant au feuillage.

Attaché au monde par les mains, Tango sentait sa

mémoire le pousser à nouveau dans le vide sans bornes. Il n'avait jamais senti auparavant un aussi authentique sentiment de dépassement. S'élancer vers une branche qui ne vient pas et qui pourtant arrive enfin, juste après un ralentissement de la chute qui défiait toute volonté. Il était obligé d'admettre que Mome avait raison: le saut allégeait le corps. Mais tout comme lui, il était incapable d'expliquer pourquoi.

La deuxième ronde commençait. Il bondissait une autre fois, puis une autre encore, sans même calculer ses pas et sa poussée. Il semblait qu'il ne pût jamais s'en lasser. Tout était devenu si facile. Le monde ne méritait plus d'être autre chose qu'un saut sans fin, à la fois dangereux et vivifiant.

Mais plus tard — trop tôt — il dut calmer son enthousiasme. La descente n'était pas que cette exaltante expérience de divine légèreté. Bientôt la fente se rétrécit et empêcha tout mouvement plus ample qu'une morne progression à force de poignets. Il fallut recourir à des techniques plus traditionnelles; c'est à ce moment que les cordes et les crochets trouvèrent leur utilité. Mome s'adressa alors à eux pour leur rappeler que chaque corde avait son importance et qu'elles pouvaient signifier la vie ou la mort au moment où ils atteindraient le pays des racines. Perdre une corde, c'était en conserver encore deux pour soi-même, mais cela impliquait aussi un pont plus court jeté vers la fin du voyage.

Un demi-somme plus tard, les grands sauts reprirent mais le dégoût et l'épuisement s'étaient emparés de Tango. La vue d'une vaste branche faisant promontoire dans la falaise ne réussit pas à chasser l'ennui qui s'était emparé de lui. Sans même attendre le signal il bondit vers la cible facile. Un cri jaillit derrière lui mais il n'y prêta pas attention. Le point d'impact arrivait.

L'exaltation lui parut trop brève. Il se reçut délicatement sur ses jambes arquées, sans effort, comme s'il n'avait jamais rien fait d'autre depuis des sommes et des sommes...

Au même instant, le choc l'ébranla. Il bascula en avant.

Il prit conscience du plongeon qui allait le précipiter vers le gouffre, mais ses mains se plaquèrent au mur végétal et mordirent dans les rainures noires et luisantes de sève. Il se retrouva les pieds ballants dans le vide, assourdi par le cri qui se prolongeait *sous lui.*

Il étira son cou jusqu'à ce que ses yeux puissent voir la silhouette rapetisser en tournoyant sur elle-même, jusqu'à ce qu'elle ait complètement disparu dans le fond brûlant de lumière.

Le hurlement lui-même s'éteignit.

Tango s'arracha difficilement à la contemplation de la faille à la recherche du corps. Mais celui-ci demeurait invisible.

Le cri de Mome arriva d'en haut, comme un coup porté à sa moelle glacée. Il lui répondit par un grognement et se hissa péniblement sur la surface supérieure de la branche.

Les autres le rejoignirent peu de temps après, dans l'ordre établi. La branche était suffisamment vaste pour servir de camp de somme et sur un geste de Mome les hommes se dispersèrent sur toute son étendue. Bientôt, le silence ne fut plus interrompu que par les bruits du repas. On ne parlait guère.

Tango, replié sur lui-même, était anéanti. La gorge serrée, il repoussa la poignée de pousses grasses que lui tendait Mome.

— J'ai tué un homme, gémit Tango.

— Soit! tu as tué un homme. Mais ce n'était pas à son tour de sauter. Vous avez tous les deux commis la même faute. Le destin a voulu que ce soit lui la victime. Ç'aurait pu être toi. Et il y a pire: j'ai peur qu'une patrouille de Planétaires n'ait entendu son cri.

Mome offrait toujours la nourriture à Tango. Il reprit:

— Les failles prennent le son et le repoussent vers le haut. Elles l'amplifient. On peut facilement repérer notre trace ainsi...

Tango n'écoutait pas.

— C'est moi qui aurais dû mourir.

— Si tu y tiens! dit Mome en brandissant son bras vers le vide à sa portée. Vas-y! Tu n'as qu'un pas à faire.

Mome se redressa ensuite de toute sa taille. Contre le feuillage lumineux qui poussait sur la branche il paraissait gigantesque et tout-puissant. Il resta là un instant à observer l'Anti-navigateur, puis il dit:

— Quand tu seras revenu de ta crise de mort et de vie, mange! Nous en avons tous besoin. Personne n'a envie de perdre l'Anti-navigateur, surtout pas par sa faute.

Dans son sommeil, Tango rêva qu'il tombait dans les abîmes de lumière.

☐

La troupe descendit deux nouvelles failles sans incident.

Tango avait longtemps réfléchi aux conséquences de la collision sur la branche, mais chaque nouveau saut l'éloignait davantage du souvenir. Aucun membre du groupe ne semblait lui tenir rigueur de la mort d'un des leurs. Nul regard en biais, aucune parole à double sens. L'affaire paraissait oubliée.

Tango comprit bientôt quelle valeur était attachée à sa vie. L'Anti-navigateur était la raison même de leur présence dans la région des failles. Ils l'emportaient avec eux comme un trésor.

Tout en s'élançant dans l'espace qui séparait les falaises, Tango était à même de remarquer que le fond de cette faille-là différait des autres. Pas de rétrécissement, pas de descente lente et tortueuse entre les enchevêtrements de jeunes branches, mais un immense trou d'où s'échappait un flux de lumière pâle. Comme si un grand feu avait brillé en bas, très loin de l'ouverture.

Après le dernier saut, il s'arrêta net à l'exemple de ceux qui le précédaient dans la chaîne. La voix de Mome parvint jusqu'à lui:

— Racines! Amenez les cordes!

Ils se regroupèrent tous sur la même nervure qui marquait le rebord du trou. Mome était agité mais heureux; une expression de soulagement emplissait son regard.

Au-delà de l'ouverture, le pays des racines s'étendait sur des distances infinies en multipliant ses réseaux complexes de cannelures lisses et blanchâtres. Elles remplissaient entièrement le fond et, en se penchant plus en avant, Tango constata qu'elles remontaient vers la faille pour former la plus grande cuve qu'il lui eût été donné de contempler. Un souffle de surprise coupa sa respiration et sa moelle se tendit, dure comme ses os. Il combattit l'envie de sauter jusqu'en bas, d'un seul trait.

Mome parut deviner ses intentions.

— D'ici, il est difficile d'évaluer la distance qui nous sépare du fond, dit-il. Les sources de lumière sont moins concentrées et nous n'avons pas de points de repère.

— Que te dit ton expérience? demanda Tango en se redressant. Ses paumes demeuraient soudées à la branche.

— La distance qui nous sépare de la racine la plus élevée est dix fois trop grande. C'est pourquoi nous utilisons les cordes et les crochets pour la dernière étape. Une fois que nous les aurons attachés bout à bout, nous serons séparés de notre but d'une distance deux fois supérieure à celle d'un saut normal dans les failles. Ce sera périlleux, je ne le cache pas, mais c'est réalisable. Je l'ai déjà fait, n'est-ce pas?

Tango avait commencé à défaire ses cordes et à les joindre ensemble à l'aide des crochets. Mome continuait de parler, mais cette fois sans le regarder en face, comme si une gêne soudaine l'en empêchait.

— Nous devons compter avec trois cordes en moins, perdues dans nos sauts. Mais cela ne devrait pas nous arrêter. Les cordes peuvent supporter le poids d'un homme plus leur propre poids.

Tango eut un pincement au cœur. Trois cordes de perdues avec la chute d'un homme, cela signifiait un plus grand vide à franchir. Cela pouvait aussi signifier une autre mort d'homme.

Mome lança la longue corde dans l'abîme. Elle tomba longtemps dans le silence de la caverne en dessinant des zigzags, puis se raidit finalement sous le poids des crochets.

La descente commença dès que Mome en eut donné l'ordre. Le premier homme se cramponna à la corde et se laissa glisser lentement vers son extrémité invisible.

Tango eut l'impression qu'il flottait au milieu de la cuve tellement le trait droit de la corde s'effaçait au-dessus des racines. Puis, il le vit sauter en lançant un cri... et atterrir au sommet d'une longue racine qui s'étirait jusqu'au bord de la cuve comme une langue vivante.

C'était une expérience nouvelle, terriblement éloignée de la descente des failles. La minuscule forme humaine qui venait de se poser sur la racine avait paru hésiter et se déplacer en tout sens durant un bref instant.

Il adressa à Mome un regard interrogateur.

— Les racines sont molles et enduites de sève, dit le guide. Le risque est diminué d'autant, mais il faut faire attention de bien tomber. Laisse-toi retomber sur tes fesses et la racine te recevra en douceur.

Lorsqu'il y eut une demi-douzaine d'hommes sur le sommet de la langue, Tango amorça sa descente à son tour. Suspendu au cœur de la caverne, il pouvait voir le treillis de racines former une immense enveloppe autour de lui, comme s'il s'était trouvé à l'intérieur d'un ventre géant. Sa main gantée lâcha enfin le dernier crochet. Il ferma les yeux et se libéra.

Le vide se fit le long de sa moelle.

Il sentit plus qu'il ne vit l'extrémité de la langue le rejoindre. Son derrière glissa avec une grande vitesse, mais ses gants l'arrêtèrent et le maintinrent solidement en position. Déjà, loin au-dessus de sa tête, un autre membre de la troupe suivait le mince et périlleux chemin de la corde.

D'autres sautèrent encore, mais Tango n'y prêta que peu d'attention. Il restait debout, agrippé à la racine, et essayait d'embrasser du regard l'étendue du pays où ils étaient tombés. Son impression première se confirmait: les racines étaient lisses et enduites d'un liquide qui évoquait la vie, la chair vive de l'Arbre. Ici, la surface croûteuse et cannelée des branches n'existait plus, et les plaques lumineuses étaient concentrées autour de l'ouverture seulement, laissant les racines suivre leur mouvement apparent vers le haut, nues et tendres.

Des cris s'élevèrent derrière lui. Tango sentit ses pieds assurer davantage leur prise sur la racine mais ne se retourna pas. Pour la première fois depuis le début de la guerre, depuis des sommes, il savait qu'il allait atteindre son but. Comme Fare l'avait fait, le nouvel Anti-navigateur était descendu jusqu'aux racines grâce à la vigilance de son guide. Il pouvait maintenant laisser sa moelle vibrer sous les impulsions du monde jusque-là caché.

Mome, qui surveillait les sauts dans les racines, l'interpella:

— Nous avons un blessé. Des hommes s'occupent de sa jambe. Nous partirons quand ils auront terminé.

Tango rejoignit Mome près du blessé.

— Tu ne m'avais pas dit que c'était si grand et... si vivant. Mais, en même temps, ce monde me paraît si fragile. Nous pourrions facilement le détruire à coups d'herminette si nous le voulions vraiment...

— Les racines *sont* le commencement de l'Arbre. Comme une jeune pousse, fit remarquer Mome. La marche a été longue et pénible jusqu'ici, mais c'est parce que l'Arbre se protège lui-même contre toute agression.

Tango pivotait lentement sur ses pieds, s'attardait sur les horizons lointains de la cuve.

— Nous avons réagi comme toi, Fare et moi, poursuivit Mome. Nous avions du mal à croire ce que nos yeux voyaient et nos moelles étaient chaudes comme la tienne l'est en ce moment.

Tango se tourna vers lui:

— De combien de temps disposons-nous?

— Suffisamment, d'après Rès. Nous allons suivre la longue pente de cette racine en nous laissant glisser jusqu'au point où les racines remontent vers la faille. C'est là que se fera la manipulation.

Il fallait y aller tout de suite. Tango en frémissait d'envie sous son manteau. Creuser encore davantage les régions secrètes de l'Arbre.

De toute son âme, il souhaitait aussi que les Planétaires fussent encore loin derrière eux, à la recherche de la première faille par où descendre.

Mome donna des ordres: deux hommes resteraient près du blessé tandis que le reste de la troupe continuerait vers le lieu de la manipulation. Il expliqua ensuite comment chacun devait contrôler la longue glissade vers leur destination.

Il y avait une ouverture, disait-il, un point où la chair des racines était plus mince et par où l'on pouvait passer pour reprendre le contrôle de la voilure. Tango l'écoutait sans vraiment comprendre: que fallait-il faire pour que les voiles s'ouvrent toutes grandes à nouveau? Couper une racine? Débarrasser tout un entrelac veineux de sa sève?

Mome refusa ses questions et Tango comprit que, comme pour la zone des racines où ils étaient maintenant, il fallait voir pour savoir que les mots ne suffisaient pas à tout décrire et à tout expliquer.

Mome le fit glisser avant lui pour pouvoir, disait-il, prévenir ses erreurs de manœuvre au cours de la descente contrôlée. Tout en filant vers leur but, les hommes poussaient des cris de joie qui trouvaient leur écho au cœur du pays blanc et nu des racines. Mais Tango restait craintif, contrôlant minutieusement ses virages.

À force de détours dans les vallées gluantes de sève, ils mirent près d'un somme à atteindre le point où les racines s'élevaient comme un mur vers l'ouverture de la faille.

Mome attendit que la troupe complète les eût rejoints près de la boursouflure où ils s'étaient arrêtés. Tango sentait les racines vibrer d'une vie puissante qui semblait monter vers les failles, mais il ne ressentait aucune crainte.

Mome n'avait pas peur. Aucun des hommes qui se trouvaient là n'avait peur.

— Le moment est venu, dit Mome en se tournant vers lui. Les derniers hommes se relevaient de leur course ininterrompue dans la sève.

— Il faut faire vite, dit Tango.

Puis, après un instant de réflexion, il ajouta:

— L'Arbre va poursuivre son voyage. L'Anti-navigateur a sauvé la vie de l'Arbre encore une fois, grâce à toi.

Mome ne répliqua pas. Ses épaules s'étaient affaissées; il paraissait épuisé par le voyage, comme si son corps subissait maintenant toutes les pertes d'énergie qu'avaient exigé le lent traçage des cartes et le commandement de la troupe.

— Nous sommes arrivés, reprit Mome. Maintenant, Tango, il faut que tu voies les instruments de la manipulation.

Il saisit une herminette fixée à sa hanche et découpa une ouverture dans la racine qui se déchira sans résister. Une issue assez grande pour livrer passage à un homme venait d'être créée de trois simples coups donnés par le bras gracile de Mome. Une abondante coulée de sève roulait à leurs pieds.

La déchirure s'ouvrait sur un espace dur et brillant. Derrière la peau des racines, des formes nouvelles s'étaient développées. Pas de rondeur, plus de branches courbes et hasardeuses. Un monde se greffait à celui de l'Arbre mais lui restait étranger. Des lignes droites, des angles droits menaçants s'amoncelaient à l'intérieur d'une nouvelle caverne.

— C'est ici que devait se faire la manipulation, dit solennellement Mome. C'est ici qu'elle se fera, d'une certaine façon...

Mome le dévisageait.

À ce moment, Tango sentit le froid glacer sa moelle. Les paroles de Mome signifiaient soudain autre chose que le redressement de la voilure. Sa moelle recomposait déjà toute la structure du mensonge qui l'avait conduit jusque là.

Un guide et vingt hommes suffisaient pour poursuivre le voyage.

La même combinaison suffisait pour l'interrompre.

□

L'écho qui portait maintenant les paroles de Mome était dur et percutant. Tango y reconnaissait le fracas bref et familier des tourne-lame.

La voix de Mome avait jadis été chaude et rassurante, mais elle perçait maintenant le barrage de son désespoir.

— La grande difficulté consistait à placer l'Arbre en orbite, à réduire sa vitesse pour que le mouvement se transformât en une ellipse autour de l'étoile. Ce n'était pas aussi facile que les Planétaires avaient toujours voulu le croire. D'une certaine façon, la manipulation était encore nécessaire: les voiles devaient être ouvertes de nouveau, mais un peu plus tôt que ne l'exigeait notre départ vers une nouvelle étoile. Elles agissaient ainsi comme un frein. La théorie était simple, mais l'instant où devait se produire cette manipulation anticipée dépassait la somme de nos connaissances. Et il fallait aussi les refermer une fois que l'orbite était entamée, sans quoi l'Arbre aurait connu une nouvelle accélération qui l'aurait éloigné de l'étoile.

«C'était une difficulté à laquelle personne n'avait jamais eu à faire face. Nos prédécesseurs s'en étaient rendu compte. Fare le savait. Il a passé sa vie à chercher la solution. Mais quand le temps de la manipulation est venu, les calculs n'étaient pas encore au point. Il a durement ressenti cet échec. Plus que toute autre chose, il aurait souhaité être le sauveur de son peuple. Cet honneur t'es revenu, Tango. Tu n'en es peut-être pas conscient encore, mais tu comprendras. Avec le temps.

«C'est notre Numérateur, Rès, qui a parachevé les travaux de Fare. C'est lui qui a jugé du moment exact de l'intervention. Sans lui, l'Arbre aurait une fois de plus continué son voyage inutile.»

Toute la troupe écoutait en silence, satisfaite. Il semblait à Tango que ces hommes étaient venus jusque là pour entendre ces paroles et proclamer sa défaite. Il n'aurait aucun appui parmi eux.

Mome reprit d'une voix forte:

— Les Planétaires espéraient débarquer sur une planète mais c'était pure folie. Nous savons maintenant que l'Arbre ne recèle aucune ressource qui nous le permettrait. Nous pouvons seulement essayer de croire que notre monde croisera dans l'avenir la route de l'une de ces sphères. Mais Rès ne vivra pas assez longtemps pour faire les calculs que cet espoir demande.

«Tu vois, Tango, poursuivait le guide, tout était préparé depuis un lointain passé. Depuis deux étoiles au moins, peut-être plus. Comment savoir si quelques traîtres — c'est le mot qui est dans ton esprit, n'est-ce pas? — si des traîtres n'avaient pas déjà préparé cette ultime manipulation dès les origines de l'Arbre sans y parvenir? Je ne suis pas loin de le croire. Nos connaissances techniques présentes ne nous permettent plus d'avoir accès à l'information nécessaire, mais seuls nos lointains ancêtres en savaient suffisamment pour préparer un projet d'une telle ampleur. Combien de temps cela a-t-il pris? Combien de générations de Numérateurs ont travaillé à ce projet insensé? Je l'ignore. Et combien d'étoiles avons-nous essayé de maîtriser? Une chose est certaine pourtant: l'Arbre ne pouvait pas se mettre en orbite de lui-même.»

— Mais peut-être, intervint Tango, n'y a-t-il aucun principe d'arrêt parce que c'est le destin de l'Arbre de courir d'étoile en étoile à la recherche de son vent. Pourquoi as-tu rejeté cette signification?

Mome ne répondit pas immédiatement.

— Moi, Moliter Mome, dit-il avec un soupir, je n'accepte pas qu'on me dicte mon destin. Il y a plusieurs qui pensent comme moi, qui auraient fait ce que j'ai fait parce qu'ils n'auraient pas douté un seul instant que c'était là leur devoir d'homme.

— Je ne t'en veux pas, Mome.

Ce disant Tango releva entièrement sa cape. Mome réagit avec lenteur. Il avança la main, presque craintivement, comme s'il ne croyait pas encore à l'invitation. La cape ne bougeait pas. Elle reposait sur l'épaule de Tango, découvrant son flanc nu.

— Je dois vraiment savoir, dit Mome. Il ne s'agit pas seulement de moi. Je ne veux pas que tu croies que je manque de confiance en toi.

— Touche! C'est ton droit de vainqueur et mon devoir de prisonnier.

— Pas de prisonnier, Tango. D'honorable adversaire.

Sa main tâta l'épine dorsale qui frémissait. Ses doigts longs et délicats couraient sur le flot du liquide rachidien qui nourrissait les fils nerveux. Ils lisaient la peur tapie au fond de Tango, la colère et la honte d'avoir été trompé.

Mais derrière cette honte de surface il y avait celle, autrement douloureuse, d'avoir failli devant la race, d'avoir tué la race, d'avoir condamné l'Arbre à n'être bientôt plus qu'un jardin mort sans jardiniers, aussi vide qu'une planète. *Tango, tu n'es rien, tu disparais dans l'immensité de ton échec. C'est toi, c'est bien toi qui as échoué, toi seul... Personne d'autre n'est responsable, rien d'autre que des victimes... Par ta faute...*

Non, disaient les doigts de Mome sur la moelle. Une victime toi-même, seulement, dans un duel honnête. Nous sommes tous ensemble maintenant.

Pour Tango, ce n'étaient pas des mots. Les impressions s'imposaient d'elles-mêmes à sa compréhension. C'étaient mieux que des mots, mais ce n'était pas encore assez.

Il ramena sa cape sur son dos et la serra dans son poing, pressée contre son abdomen.

— Si tu es si pur, Mome, comment as-tu pu mentir derrière la cape tout ce temps?

— Tu penses au code moral, Tango?

— Je pense à toi, Mome, et à l'homme que tu as dû être quand tu reniais le Conventum.

Mome fit le geste de remonter sa cape à son tour, puis se ravisa.

— J'aimerais que tu me croies, Tango, si je te dis cela. Je souffrais. J'ai toujours eu répugnance à briser le Conventum. Mais quelque chose de plus fort me guidait et me donnait la force de mentir. C'était pour un bien plus grand.

— Un bien ne peut pas résulter d'un mensonge. C'est sa limite et sa définition.

Tango se redressa en silence et prit les lunettes de pirpir attachées à sa taille. Puis il se dirigea à pas lents vers la déchirure, sèche maintenant, qui livrait passage au monde des racines. Il laissait derrière lui les instruments métalliques commandant la voilure pour une raison qui lui paraissait fort simple.

L'ère de la manipulation était terminée.

☐

Tango était assis sur la passerelle et laissait ses pieds se balancer dans l'espace. Dans un coin replié de son esprit se livrait une bataille qui n'aurait jamais lieu ailleurs. Et qu'il perdait de nouveau. Sans arrêt.

Il regardait la voilure avec les lunettes de pirpir. Bientôt elle serait complètement démantelée, abandonnée derrière comme des ailes perdues. La bataille continuait à faire rage dans son esprit et il perdait toujours.

Une femme était couchée derrière lui, celle-là même qui l'avait lavé longtemps auparavant, dans un passé qu'il souhaitait oublier mais qui refluait vers lui. Le passé qui remportait la victoire finale sur l'Anti-navigateur. La femme qui flattait sa moelle, doucement, avec des sensations qu'il ne voulait pas entendre mais qu'il ne pourrait pas nier indéfiniment. Il le savait.

La femme éloigna subitement sa main de son dos. Au loin, poussées par le vent de l'étoile, trompées par l'inertie de l'Arbre lui-même, les mille voiles se détachaient avec lenteur. Elles s'éloignaient de plus en plus, entraînées dans la nuit.

Nous sommes la rupture, fit encore la femme sur son épine dorsale.

Le monde a besoin de la rupture pour continuer, reprit Tango.

Il se surprit de ce qu'il venait de penser mais ne se corrigea pas. Cette phrase, il le savait, avait déjà un sens pour tous ceux qui avaient désiré ce moment où l'Arbre s'accrocherait à la vie d'une étoile.

Il demeura longtemps sur la passerelle, sans se lasser. Mome avait rejoint la femme toujours couchée. Ou peut-être avait-il été là depuis le début, figé dans son silence. Plus bas, à travers les lunettes, l'étoile était un brasier informe et menaçant. Et, mystérieusement, c'était aussi une promesse de vie.

Il resta jusqu'à ne plus pouvoir distinguer la voilure qui poursuivait seule le voyage. Jusqu'à ce que l'Arbre, leur monde, entamât sa longue orbite autour de la Géante.

Fragments d'une interférence: la maison close sur le nord

Jean Pettigrew

Au matin, il ne restait plus que des flaques phospho-rescentes éparpillées sur le plateau. Irréelles dans la lumière au soleil levant, elles chantaient une mélancolie d'ailleurs, égrenant les chapelets échevelés de notes cris-tallines dans la quiétude du moment présent. Seul sur la promenade de la Tour Blanche, Léo P tendait l'oreille, cherchant un rythme illusoire. La matière rosâtre s'évanouissait lentement, note après note. La promenade, au niveau du toit-terrasse, surplombait le paysage de plus de trente mètres. Une nouvelle fois, le plateau présentait un visage renouvelé. Les dunes duveteuses s'étaient déplacées, des dentelles délicates s'étalaient mollement, des vaguelettes et des aigrettes de toutes sortes sculp-taient la forme des vents, la force des souffles. Au milieu de ces bas-reliefs, la Tour Blanche prenait des allures de phare-du-bout-du-monde. Cylindrique, elle était ceinturée par cette mince galerie qui rehaussait son galbe élégant. Esquivant les baies vitrées abondantes et les portes dispo-sées au hasard de l'esthétique et du pratique, cinq lignes verticales achevaient le travail en donnant à l'édifice un élancement gracieux inspirant force et équilibre. Fonction-nelles, ces lignes servaient de support et de rail à la promenade, permettant à cette dernière de s'élever et de s'abaisser sur toute la hauteur de la Tour Blanche. Léo parcourait tranquillement l'étroite couronne et la surface qu'il foulait sonnait dur sous son pied. La tête haute, le regard fixé sur l'horizon renouvelé à chaque pas, il ressem-blait à un capitaine arpentant la dunette de son navire. Pourtant, si le sol semblait mobile au fil des jours, l'esquif des glaces s'apparentait au légendaire vaisseau immobile. Malgré ses épais vêtements, l'homme devait de temps en temps sautiller afin d'activer sa circulation. L'air restait vif au-dessus de l'Île Résolution en ce mois d'avril qui, plus au sud, réintégrait le printemps dans ses fonctions. À cette latitude, seul l'hiver avait droit à l'éternité du souvenir, ensevelissant sans pitié sous son épais linceul blanc la moindre idée d'eau vive, de petites fleurs bleues et d'oiseaux sauvages. Cette nuit, avec un vent modéré venu en droite ligne du nord, le mercure était descendu à moins 30° C. Depuis, il n'avait réussi qu'à remonter quelques degrés et la barbe de Léo s'était vite alourdie d'une épaisse couche de glace, là où passait son souffle.

Sur le plateau, les flaques s'amenuisaient, chantaient leur disparition progressive, et les petites grappes de notes ignoraient le froid du pôle.

□

Un grondement, sourd et bas. Une secousse: le sol tremblait. Mille clameurs discordantes fusaient de la matière en voie de disparition. La Tour Blanche s'ébrouait sur ses fondations profondes. Le plateau rocheux ondulait sous la masse blanche. Pris au dépourvu, Léo P se retrouvait brusquement en position horizontale, un coude éraflé et le nez contusionné. Mais déjà le séisme était souvenir et, insouciantes, les trilles reprenaient leur vol interrompu, parmi des craquements attardés de la couche glacée. En maugréant, Léo se tâtait un peu partout: rien de cassé, seulement des ecchymoses. En se relevant, il fixait le paysage en direction du nord. Se pouvait-il que son œil détecte une rondeur nouvelle, une élévation quelconque?

— Tremblements maudits, jurait-il en reprenant sa marche.

□

Léo P songeait à l'ensemble du Phénomène. Pour la première fois, les lambeaux des globes explosés descen-

daient et flottaient dans l'atmosphère nocturne sans s'y
évanouir. Cette nuit, le Phénomène avait induit des interférences d'une force inégalée. Louise, à la toute fin, s'était
enfuie en pleurs. Lui s'était habillé lentement, l'esprit en
déroute. Que s'était-il réellement produit? À cet instant
où, dans le nord profond, la barre du jour s'annonçait, il
était sorti. Il avait fait monter la galerie au plus haut niveau
et débuter ses tours d'horizon. C'était du haut de cet
observatoire exceptionnel qu'il avait vu les débris toucher
le sol, neige rose d'un peintre surréaliste. Au contact, des
bruits effarants s'étaient élevés, comme des lamentations
d'électroniques pleureuses. Puis les notes d'une fragilité
exquise avaient pris la relève.

☐

Léo P actionna le mécanisme électrique, fit descendre
la passerelle jusqu'à la porte nord du septième niveau et
s'engouffra à l'intérieur. Quelques minutes plus tard, il
réapparaissait sur la passerelle et continuait sa descente.
Dans sa main gauche, une petite fiole se blottissait. Son
regard scrutait l'infiniment lointain quand, au nord, il
perçut une impression de mouvement au-dessus de
l'horizon. Intrigué, il continua son observation et vit
bientôt un point blanc sur fond ciel qui grossissait, puis se
fragmentait en plusieurs autres. À peine était-il descendu
de quelques mètres qu'il distinguait les premiers oiseaux.
Léo frissonna: un sombre pressentiment l'envahit. En for-
mation serrée, dans un désordre sans heurt d'ailes
déployées, ils se dirigeaient en droite ligne vers la Tour
Blanche.

☐

En touchant le plateau, Léo P remarqua le changement dans la musique environnante. Le rythme s'embal-
lait, le ton s'aiguisait. L'idée naguère évidente d'aller

recueillir un échantillonnage de matière chantante, qui avait chu partout sur le paysage sauf, inexplicablement, sur la Tour Blanche, ne le tentait plus autant. La venue inquiétante de cette immense troupe d'oiseaux le faisait hésiter entre cette récolte importante s'étendant devant lui et une retraite immédiate vers la sécurité des entrailles de l'édifice. L'arrivée hâtive des volatiles devait tout remettre en question. Il franchissait la porte de sécurité de la passerelle quand, sur sa tête, l'ombre des premiers oiseaux vint occulter le soleil. Inversant son geste, Léo se plaqua contre le haut mur incurvé. Une terreur insidieuse s'empara de lui quand il vit à sa verticale les imposants volatiles inconnus.

☐

Des milliers d'oiseaux brassent l'air au-dessus du plateau. La masse tournoyante écrase tout et, sous elle, une pénombre agitée baigne le paysage. Pas un cri ne vient troubler les petites notes complètement affolées. Léo P, recroquevillé contre le mur, écoute siffler l'air sur les millions de plumes. Soudain, venant du plus profond de la faune ailée, un cri étrangement modulé se fait entendre. D'un seul mouvement, la meute d'oiseaux gigantesques, d'un blanc livide, se précipite vers le sol en un piqué formidable. Sous ce ciel vivant qui plonge vers lui, Léo ne peut plus que lever des bras impuissants à le protéger et hurler à gorge déployée. Les oiseaux s'abattent pour la curée.

☐

Fin mars. Face à Trois-Pistoles, l'Île-aux-Basques s'endort sur le crépuscule d'une première chaude journée de printemps. Une neige encore abondante recouvre les terres mais, dans les fourrés, les lièvres brunissent et, le long des clairières, le perce-neige justifie son nom. Christopher H a l'habitude de ces détails. La nature lui sert de grand calendrier et, à trente ans, il possède déjà plus de vingt années de souvenirs insulaires. Le soleil a sombré derrière les montagnes de la Côte Nord et une jolie brise de nordet a entamé sa course sur le fleuve. La nuit va être froide. Grande, souple, d'une beauté sans artifice, Aline H aime ces nuits bavardes et courailleuses. Née dans la maison ancestrale des P, unique demeure de l'île, elle y habite depuis. À la pointe ouest, la maison bi-centenaire se ramasse sur elle-même afin de protéger ses habitants des rigueurs de la nuit. D'une solidité exemplaire pour son âge, les épaisses pièces de bois qui s'entrecroisent pour former la structure et les murs sombres lui donnent cette allure chaleureuse des maisons du temps de la colonisation. Pourtant, ses tours élancées, ses angles aigus et ses fausses perspectives rappellent le siècle fou de sa naissance, la fin du deuxième millénaire. Une épaisse fumée se fait écharper au sortir d'une des cheminées et les solariennes se sont refermées pour la nuit. Au-dessus de l'atelier principal, l'éolienne chantonne sa sempiternelle rengaine énergétique.

À l'intérieur, Aline H et son frère tardent à prendre une décision.

☐

— Alors?

Assis dans un large fauteuil de cuir, Christopher H contemple le feu sifflant du foyer. Le bois fume et pisse l'eau par tous les bouts. Près de lui, sur le tapis usé jusqu'à la corde, Aline est étendue sur le ventre. Une odeur désagréable flotte dans le salon, mélange du parfum âcre du tremble bouilli et des relents de moisissures montant du tas de paperasses qui trône au beau milieu de la pièce.

— Alors? répète doucement le frère, le regard toujours rivé aux flammes fumeuses.

— Alors oui. Toujours oui.

La réponse a été longue à venir mais les oui sentaient

le soufre d'une décision irrévocable. Étirant un bras, Aline H se saisit d'une feuille en très mauvais état. Elle la tourne et retourne avec d'infinies précautions.

— Nous devons les avertir le plus tôt possible, Christopher, reprend-elle quelques instants plus tard. Nous ne pouvons pas ne pas les avertir, ce serait... je ne sais pas. Il faut les avertir, c'est tout.

L'homme s'est levé et il donne de grands coups de tisonnier dans le feu. Quand le vent souffle nordet, la cheminée de l'atelier tire mal, il le sait depuis toujours. Toute cette affaire le rend distrait et lui fait commettre certaines petites bourdes qui le mettent en rogne. Il voudrait réfuter la décision d'Aline mais il sent inconsciemment qu'elle a raison. Et c'est ça qui le tracasse: il sait inconsciemment. Comme si... Pourtant, tout semble impossible dans cette affaire: la secousse, la découverte, les papiers... Aline H a reposé la feuille et a attiré à elle les trois pages énigmatiques. Quand Christopher H avait réussi à ouvrir la vieille serrure magnétique, elles avaient surgi du coffre tels des diables en boîtes. Un effet secondaire du magnétisme, avait tenté de rationaliser Aline. Tandis que Christopher tisonne, la jeune femme relit à haute voix pour la énième fois ces passages écrits il y a plus de deux cents ans par P, constructeur et premier occupant de la maison de l'Île-aux-Basques:

         de la Maison, ils regardai   es grandes construc-
     géométriques s'entrelacer dans la nuit polaire. Du dehors, mal-
gré la triple vitre scellée et les épais murs, la musique irréelle
faisait vibrer les tympa   à des rythmes inconnu   bas, dans le
grand salon, des gém   ements montaient vers cette matière céleste
qui chantait l'amour. Mais le spectacle n   t aucunement la
clientèle fortunée mais stupide de la Mais   le nord. Elle
venait ici pour la luxure, non pas   es sons et lumière.

       Les lignes horizo   'étaient rétractées depuis un bon
moment et les sphères commencèrent à pulser doucement et la musique
devint ensorcelante. C'est   ndant ces instants de pulsions irrésis-
tibles que culminait l'   du salon. Un grand cri de jouissance
s'élevait et de part   perme ja   aillissait... et l
bouches, et le   les vul   s seins...

          Ce   Maryline ne peut
drement, e   pe de l'érection d'Ulric,
trictio   la Maison. Sous l'ardeur du ciel, elle caresse le dur
membre de son frère et la passion a tôt fait de les en
tous deux. Dans la Maison close sur le nord, toute raison hum
la place aux préhumains et à la bête charnelle. On ne parle
on grogne. On ne pense plus, on jouit. Dans le palais de la te
logie et de l'érotisme décadents, seuls les esclaves s'inquiètent
de la gigantesque structure qui lévite   s le ciel polaire, seuls
    s corps engagés pour don   ent un reste de raison

        quipus cosmiques aux nœuds palpitants se sont calmés
      obes se mettent à glisser le long des cordes tout en per-
    t progressivement c   leur et consistance. La musique s'est tue.
L'exultation des c   du frère et de la sœur le   ssés sur une
impression   tion. Une frustration   mêle à
la fatigu

            e ciel est vide de toute prése   comme si
  rêve s'était immiscé par une dé   de la réalité.
  ns la Maison, pas un des cli   traordinaire évé-
    nt disparu pour une au   rminée. À peine jette-
    ls un regard quand   tra dans la nuit polaire.

        Tout est calme dans   ison. Au petit salon pourtant,
    emme insatiable s'agite   eusement au-dessus de deux gigan
    sques vibrateurs. Ent e ses deux jambes écartées, sa main v
  volte. Maryline et   ic s'éloignent   ticement et desc
  usqu'aux étages   rvées au pers   Le sommeil l
  ra rapidement   s leur laisser sa   que, un jour,

            rs, la nuit boréale recouvre le plateau
mercur   nnonce moins quarante. Un vent léger du nord g
ment sur le paysage figé. À croire que l'hiver ne pourra
s'effacer de la surface de la pla   e.

        Il est quatre heu   aison close sur le nord
endormie. Demain, comme   clients voudront fa
leurs phantasmes et   gie continuelle. Mais
jour, ce sera l'o   l'holocauste final. À

Aline H contemple la troisième et dernière page. Seul le tiers supérieur est couvert de signes. Une fin de chapitre? En haut, le chiffre 101 flanqué de deux tirets. D'une lecture syncopée, Aline doit passer au mot à mot. Elle hésite, se torture l'esprit, mais les mots intercalaires restent enfouis dans des limbes inaccessibles. Peut-être qu'à force de lire et relire...

```
          N! Ulric hurle sous la torture. Les décharg
     ves continuelles.          un horrible déchirement, la
        donnant sur la         lle se léza          en milliers d'
     froid de la nu         ouffre aus              l'effroi
     rouillard épais      a envahi la             folie a maint
     né toutes les tê     et c'est l          l'extéri    . Il fa
      ir, fuir.        la passerell           te. Emb     illage,
        ugle de       eur. Soud              protectr e lâche et hommes
          es s       précip            le vide. Et la foule   ui pousse,
         qui hu         es lemmings fuient le r      e...
```

Dans un murmure, Aline H a terminé sa lecture en dent de scie. Christopher se tient immobile devant l'âtre et, le tisonnier dans une main, il fixe le bout de ses bottes dans une attitude d'intense réflexion. Trois pages mangées par le temps et la réalité qui décroche. Au milieu de la pièce, un tas qui en contient des centaines. Depuis la secousse, un engrenage géant les a entraînés dans une course inexorable. Ils ne peuvent plus reculer.

— Demain, dit-il pensivement, nous commencerons le tri. Il me semble que le temps presse.

Aline H n'a fait qu'un imperceptible mouvement de tête signifiant son accord. Ses muscles sont tendus par la nervosité intérieure. Son corps comme son esprit quémandent une longue nuit de repos. La tâche de demain sera épuisante.

□

Au milieu de la nuit, le vent qui enfle a éveillé la jeune femme. Elle n'a pu s'empêcher de repenser aux événements des jours précédents et à cette correspondance inquiétante entre ces lignes d'un millénaire passé et les paroles récentes des habitants de la Tour Blanche, leurs amis de toujours. Paroles enregistrées sur cassettes qui parlaient d'aurores boréales, de sphères phosphorescentes et de musique céleste. Un cercle vicieux entraîne son imagination dans un carrousel fantastique. Le sommeil reviendra, mais tardif et agité.

□

La Tour Blanche, Île Résolution, 20 avril 84.

... car ce matin, je me suis conduit comme un lâche.
Mais je me console en pensant qu'une réaction héroïque
aurait été encore plus stupide. Les extrêmes ne valent rien
dans les situations dramatiques. Ce n'est évidemment pas
à moi que les oiseaux s'intéressaient. Pourtant, sous ce
ciel vivant qui me tombait sur la tête, l'inconscience m'a
servi de refuge illusoire. Quand j'ai repris vie, une véritable
cacophonie m'entourait. Les oiseaux becquetaient la
matière rosâtre avec allégresse et celle-ci réagissait à
chaque coup de bec par des plaintes déchirantes. À moins
de cinq mètres de ma carcasse affalée sur la neige du
plateau, un des volatiles festoyait. De la grosseur d'une
autruche adulte, il se déplaçait en sautillant sur deux
fortes pattes dépourvues de serres. À la place, des pieds
ressemblant à ceux d'un lapin, larges, longs, permettant
au géant des airs de garder une bonne stabilité sur le sol
glacé. L'envergure de ses ailes devait approcher les sept
mètres. Dans ma peur panique, je m'étais éloigné de la
Tour Blanche. Je jugeai préférable de retraiter prudemment jusqu'à la passerelle. Je me dirigeais vers les commandes afin d'atteindre le plus vite possible l'ouverture du
deuxième niveau quand un mouvement insolite se produisit dans la marée vivante. Devant moi, la foule ailée se
fendait en deux et un des oiseaux venait dans ma direction. Cette fois, c'est à moi qu'ils en ont, me suis-je dit.
Mais mon expérience précédente me galvanisa et je
décidai d'attendre stoïquement la suite des événements.
L'oiseau approchait de sa démarche sautillante. Ses ailes
étaient au repos et sa grosse tête rappelait celle du condor
en plus massif, plus carré. Dans son bec, un gros morceau
rose hurlait à chaque secousse sa plainte grotesque.
Soudain, je pris conscience du silence: la horde avait
mangé jusqu'à la dernière miette. L'oiseau s'arrêta près de

la galerie. Il me dominait de toute sa hauteur et une odeur étrange se dégageait de lui, une odeur de mer chaude, de brume et d'embruns. D'un mouvement lent, il se pencha vers moi et, son envergure le lui permettant, il déposa délicatement le lambeau phosphorescent à mes pieds. Une nouvelle plainte en jaillit, se perdit dans l'air. Bizarrement, je constatai que j'avais toujours à la main la petite fiole et une folle envie d'y mettre l'échantillon me saisit. Mais dès qu'il fut relevé, le volatile riva ses yeux aux miens et, je ne sais comment l'expliquer, une sensation, un sentiment, une... insistance me vint de ces yeux trop près l'un de l'autre pour un oiseau, trop intelligents pour un vulgaire volatile, fût-il géant et inconnu.

Ai-je été hypnotisé? La suite baigne dans un brouillard de tous mes sens, comme si l'odeur des mers australes m'avait enveloppé d'un grand voile. Une force incontrôlable me poussa à m'accroupir à côté de la petite masse chantante. Je ne pensais plus à cet oiseau inquiétant qui me surplombait. Je me penchai encore plus et mes yeux essayèrent de transpercer cette folle matière. Une sensation d'étouffement me submergea et je crois avoir perdu à nouveau conscience. Mais ma nuit sensorielle se trouva déborder de toutes parts et un brouillard rosé m'entoura. Ma vue se voila et je fus isolé dans un cocon d'une paradoxale blancheur de lait. Par intervalles, le brouillard se striait en de vastes fentes béantes; mais elles n'étaient que momentanées, et à travers ces fentes, derrière lesquelles s'agitait un chaos d'images flottantes et indistinctes, se précipitaient des courants d'air puissants, mais silencieux, qui labouraient dans leur vol la plaine enneigée. C'est alors que l'oiseau lança son cri articulé et une pensée étrangère me laboura l'esprit. Mes yeux virent des images dansantes dans la matière inconnue et les couleurs sentaient l'acrylique, les scènes avaient un goût d'ailleurs, Je sentis l'oiseau rebrousser chemin. Un autre cri transperça mon rêve éveillé et la horde s'élança dans la direction du nord. Je sombrai pour de bon dans le noir du néant.

À mon réveil, le soleil avait envahi le ciel boréal. Le lambeau que m'avait offert l'oiseau avait disparu et, sur le plateau, seule la neige foulée attestait qu'il y avait eu un événement extraordinaire. Dans ma main, une petite fiole m'adressait des reproches ininterrompus.

□

Dans le grand salon du huitième niveau, l'exubérance des retrouvailles s'est apaisée. Au milieu du grand cercle ébauché par les chaises, coussins et sofas, une petite malle trône sur la vieille peau d'ours polaire. Léo essaie d'aiguiller la conversation vers elle mais il perçoit les réticences de ses invités. Un dernier doute les assaille. Et s'ils avaient entrepris un si long voyage à la suite d'élucubrations grotesques? La conversation traîne. On parle de la vie au sud, de l'Île-aux-Basques, du petit hélicoptère solaire, de la neige et de la nuit polaire. Encastré dans le coussin d'eau multicolore, le bras de Christopher H entoure les frêles épaules de Louise P. Sans s'aimer jusqu'à la passion, ils se sont toujours complus dans une franche intimité. Debout, Aline H boucle nerveusement le cercle abstrait des sièges en jetant de lourds regards vers les baies vitrées et le grand nord qu'elles dévoilent. Le soleil a disparu et un froid crépuscule annonce une nuit frileuse. Après un long conciliabule visuel avec son frère, elle commence son étonnant récit. Au début, sa langue ne veut pas se délier, ses mots s'entrechoquent. Une certaine crainte du ridicule la tenaille. Mais au fil des minutes, un ton plus sensible s'interpose. C'est la femme qui revit un épisode crucial. Son débit s'accélère, son tumulte devient rivière assagie. Aline H n'a plus conscience des autres: tout son être vient de replonger un mois dans le passé.

Léo P ressent cette secousse sismique qui a ébranlé l'Île-aux-Basques, entend les lourdes gouttes d'eau de mer envahir le tunnel vers l'atelier, sursaute à l'effondrement d'une partie de celui-ci, s'étonne en trouvant un vieux coffre qui flotte à travers les débris. Louise P attend impatiemment que la serrure cède, a un frisson d'épouvante quand elle voit s'envoler les trois pages surnaturelles, recule précipitamment devant l'odeur infecte qui se dégage de tous ces papiers humides, moisis. Et la stupéfaction des deux en apprenant que toute cette masse en décomposition représente la production dite de jeunesse de leur ancêtre P, et la franche rigolade en découvrant que la majorité des manuscrits se compose de romans dits «réservé aux adultes» en cette aberrante fin de millénaire.

Aline H parlait, parlait. De la minutie de l'épluchage, de la fragilité de la récupération, du lancinant problème de déchiffrement. et de «La Maison close sur le Nord».

☐

Léo	— Et dans la malle se trouve...?
Aline	— Les restes de «La Maison close sur le Nord», conservés dans un plastique de protection.
Louise	— Et vous avez récupéré de ce manuscrit...
Christopher	— Quatre-vingt pages ou fragments de pages. Mais surtout celle qui nous a incités à entreprendre ce long voyage.
Léo	— Une des trois feuilles... volantes?
Aline	— Oui. La page 101, la fin d'un chapitre ou peut-être bien du roman lui-même, bien que nous ayons un fragment d'une page 165 où nous retrouvons une allusion à cette maison dans le nord et au frère et à la sœur qui y travaillent.
Louise	— Un frère et une sœur? Comme nous?
Aline	— Oui, comme vous: dans le grand nord, dans une maison, et notant l'évolution d'un étrange phénomène céleste.

Léo	— Et les autres feuilles et fragments, de quoi parlent-ils?
Aline	— À part le fait qu'il s'agit d'un médiocre roman pornographique, ils parlent de vous, rien que de vous et du phénomène qui hante les nuits. Tenez, lisez les trois principales feuilles à votre aise.

□

Une pâleur cireuse s'étendit subitement sur son visage: Léo n'en était qu'aux descriptions du premier paragraphe. Un cri s'étrangla dans sa gorge, sa main monta jusqu'à sa bouche: Louise venait d'apprendre le nom du frère dans «La Maison close sur le Nord». Un long regard fut échangé: les H savaient qu'ils avaient vu juste. Mais des perspectives angoissantes s'annonçaient. Une vibration monta résolument à l'assaut de la Tour Blanche: l'Île Résolution tremblait sur son socle.

□

La secousse a été bénigne, comme celle du matin. Elle a moins secoué les P que ces trois bouts de papier d'un autre âge. Dehors, la nuit recouvre le plateau de sa grande chape noire pailletée d'étoiles. Assise près de Léo, Louise sent monter l'embarras. Comment dire à des amis et à un frère que, oui, ce que rapportent les deux premières pages, elle l'a réellement vécu. Non, cette gêne ne provient pas de cette relation incestueuse. Voilà plus d'un an que les P vivent seuls dans le nord, il est normal que les corps exultent de temps à autre. Et avec cette tension créée par le Phénomène... pourquoi résister? Non, les larmes viennent de cette folie dont elle se voyait envahir lentement... *sous la formidable géométrie, ma personnalité devenait évanescente et je commençais à percevoir des bruits de foule et d'orgie. Mon être n'était plus Louise*

P et ce corps qui approchait du moment ultime ne criait pas Léo mais Ulric, Ulric, et ce frère inconnu répondait Maryline, Maryline...

☐

Suite aux révélations de sa sœur, Léo a raconté succinctement ses expériences du matin. À peine a-t-il prononcé le dernier mot que Christopher, en proie à une soudaine agitation, lui demande s'il peut imiter le cri de l'oiseau.

— Eh bien, je ne sais si...

Mais Christopher l'arrête d'un geste.

— Est-ce que vous avez lu les *Aventures d'Arthur Gordon Pym*? Oui? Est-ce que le cri, Léo, ressemblait au «Tekeli-li» des oiseaux décrits par Poe?

Comme un coup de tonnerre dans un ciel sans nuage!

☐

Aline et Christopher se sont couchés. Léo est descendu à son bureau. Il griffonne dans son journal, agite des pensées sans suite, tourne en rond. Assise face à la baie vitrée donnant sur le nord, dans le grand salon, Louise contemple le magnifique paysage nocturne. Ses yeux fixent un point limite à l'intérieur de l'île. Un point en ligne directe avec le pôle. Une direction qui coupe par son centre cette rondeur nouvelle, sur la ligne d'horizon fantomatique.

☐

La nuit. Depuis près d'une heure, le ciel au-dessus de la Tour Blanche est l'hôte de l'incroyable événement. Pour Aline H et son frère, c'est un premier contact. Les signes annonciateurs sont apparus vers minuit. Des aurores boréales, nimbant le paysage de lueurs diaphanes, ont entamé des glissements harmonieux, étrangement synchronisés. Et dans l'atmosphère est apparu ce bourdon céleste qui a augmenté de volume sans perdre sa douceur. Sur le toit-terrasse de la Tour Blanche, la vue n'avait plus de limites. Ils pouvaient apercevoir dans son intégralité le Phénomène. Léo avait fait monter la galerie à son plus haut niveau et son plancher arrivait au faîte du mur de protection, à un mètre au-dessus de la terrasse. Aline associait le volume formé à une tour médiévale, perdue sur un échiquier dramatiquement blanc. Au centre de la grande surface ronde, Louise P et son frère vérifiaient le bon fonctionnement de l'appareillage scientifique. Au-dessus d'eux, les milliers de voiles de l'espace se calmaient et s'alignaient. Aussitôt les rangs assagis, les bandes chatoyantes commençaient à se contracter et, comme un faisceau lumineux qui se focalise, la transparence diminuait, la luminosité augmentait.

□

— La phase Création commence, leur a crié Louise. Rappelez-vous qu'il faut se méfier de tout geste brusque.

Dans chaque épée de lumière, une alchimie insoupçonnable agit. Déjà, Christopher éprouve les premiers symptômes. À ses côtés, Léo vient de bondir sans effort à plus de deux mètres et il redescend lentement, comme dans un film au ralenti. Mais les choses évoluent vite. Autour d'eux, le son a considérablement augmenté. C'est maintenant une véritable agression pour le tympan. Les faisceaux photoniques d'air ionisé ont donné naissance à ces gigantesques colonnes de matière super-dense. Des segments horizontaux s'élancent et rapidement, tandis que la gravité diminue toujours, chaque colonne entre en contact direct avec celles qui l'entourent. Le ciel nocturne disparaît dans un gigantesque quadrillage tridimensionnel régulier. Mais plus le regard devient diagonal, plus l'espace se sature et se mure sous l'effet de la perspective. Comme si, au-dessus de la Tour Blanche, un immense puits étayé s'ouvrait sur les étoiles. L'effet est vertigineux. Aline doit fermer les yeux pour retrouver son équilibre déjà fortement compromis par cette baisse de gravité. Sous ses paupières, elle revoit les photographies et les hologrammes que Louise a pris à très grande distance: un gigantesque œuf aux contours diffus, flottant dans la nuit du pôle. La gravité s'est stabilisée à environ quatre dixièmes de la gravité habituelle. Bientôt, les lignes transversales se contracteront jusqu'à devenir des globes enchâssés sur les colonnes. Alors, graduellement, apparaîtront les couleurs.

□

La vibration monte la gamme en un long crescendo: c'est le début. Inconsciemment, Louise s'éloigne de son frère. Elle redoute la suite des événements. Ce soir, ils en ont discuté ouvertement et un certain nombre de mesures sécuritaires devront être prises: il ne faut pas qu'ils succombent aux interférences. Ainsi, à l'apparition des couleurs, Léo restera au centre de la terrasse, Aline ira à l'extrémité sud, Christopher au sud-est et elle-même au sud-ouest, de telle façon qu'un triangle équilatéral soit formé et que le maximum de distance les sépare. À ces endroits, des sangles magnétiques serviront à les attacher si la tension devient insupportable. Cet emprisonnement sera sans conséquence puisque les sangles seront programmées pour s'ouvrir après la phase dangereuse. Aline, tête en l'air, se gave de visions merveilleuses. Un rite, pense-t-elle, un rite planétaire. Christopher tourne et retourne dans sa tête des théories, des hypothèses. Depuis quelques jours, les lois de l'univers semblent s'écrouler une à une. Léo surveille discrètement son appareillage mais son esprit s'inquiète à l'idée que les oiseaux soient de la même race que les fantomatiques volatiles entrevus par Arthur Gordon Pym. Où se trouvent les limites du réel? Et de quel côté se placent les visions étranges du matin?

☐

— Que tout le monde s'attache.

Louise donne l'exemple et ses gestes, dans la gravité moindre, se désarticulent. La crainte se lit sur son visage. Une belle teinte rose apparaît sur les globes et une lente pulsation commence à animer la luminosité. Est-ce le son qui la provoque ou l'inverse, la note cosmique qui monte toujours émet un léger trémolo. À ce premier son maintenant très haut s'est ajoutée une deuxième vibration, si basse celle-là qu'elle n'est ressentie que par le corps. Une pression qui serre la tête, cogne la poitrine et enfonce l'abdomen. Les colonnes bleues se meuvent lentement sur elles-mêmes en un long mouvement sinueux et les globes pulsent, rosissent, pulsent.

— Vite, sanglez-vous. Sinon il sera trop tard. Votre vie peut dépendre de votre geste.

Aline a tiqué sur la dernière phrase. Votre vie? Jamais il n'a été question d'un tel danger. Quelle mouche a piqué Léo? Loin de prévoir un danger imminent, elle se sent de mieux en mieux. Profitons du spectacle et au diable ces individus qui paniquent pour un rien. Une nouvelle sarabande s'exécute au-dessus de la Tour Blanche. Les pulsions s'accentuent, le rythme ensorcelle. Léo entend crier sa sœur. Comme elle, il sent la fièvre monter. Il regarde rapidement Christopher: il est solidement sanglé; puis Aline, Aline dont le visage s'orne d'un grand sourire d'extase, Aline, dont les sangles pendent, inutiles. Léo résiste, mais son regard se rive sur le corps offert. D'un geste brusque à demi volontaire, il réussit à fermer ses sangles. Le ciel se déchaîne. Un sabbat enragé fait vibrer chaque molécule d'air et chaque cellule vivante. Sans avertissement, la Tour Blanche vacille sur sa base et une onde sonore sans pareille submerge tout sur son passage.

Le sismographe oscille sur le chiffre 5. Au nord, à l'intérieur de l'Île Résolution, l'épais manteau de glace s'est fendu en un fracas apocalyptique. Mais déjà tout est terminé. Moins d'une minute s'est écoulée. Aline a associé l'onde de choc aux images orgiaques qui défilent dans son esprit. Au rythme des pulsations, sa main s'agite entre ses cuisses. Léo vérifie fébrilement ses appareils quand il voit Christopher se diriger lentement vers Louise. Elle détache ses sangles et s'avance au-devant de l'homme. Bon dieu! Les sangles ne marchent plus. Christopher a rejoint Louise et, passionnément, l'un déshabille l'autre. Des yeux de Louise des larmes coulent, coulent. Le froid incisif va les tuer irrémédiablement. Pourtant, les voici nus, les voici enlacés et le froid du pôle ne se manifeste pas. Les événements dépassent la raison. Aline se dévêt à son tour et son corps chaud est son seul intérêt. C'est aussi le seul de Léo, qui regarde la jeune femme se masturber sous ses yeux, Léo qui perd tout à fait le contrôle de son corps, lui qui est le seul à craindre le froid en ôtant ses vêtements.

Mais pourquoi aurait-il froid, pense-t-il en marchant vers la beauté qui se prépare à le recevoir, oui, pourquoi devrait-il avoir froid sous le dôme de plexiglas? Ses pieds nus caressent l'herbe artificielle et augmentent son désir. Tout son être tend vers les jeux érotiques qu'il va accomplir en compagnie de Josiane, Josiane qui sourit en apercevant l'érection qui précède Ulric. Cette nuit, c'est l'assemblée entière qui va baiser sous les globes roses. Voici d'ailleurs les premiers invités qui arrivent sur la terrasse. Il y aura cette Murielle, ce Kanderik, ce bon gros Jones toujours à bout de souffle et cette vieille peau de duchesse de Berry. Toute une nuit en perspective.

☐

Au-dessus de lui, Josiane qui se déhanche; au-dessus

d'eux, un ballet-jazz endiablé; autour d'eux, des partenaires qui grognent et qui suent. Sans permission — mais Josiane et Ulric sont engagés pour cela, non? — un homme et une femme viennent s'emmêler à eux. Curieusement, Ulric, dans l'action redoublée, sent son esprit se détacher. Il cherche Ludovic ou Maryline des yeux mais tout n'est que chair luisante sans visage. Là-haut, le ballet doit être devenue folie. La lueur rose et bleu qui nimbe la Maison confirme son impression. La musique céleste n'est plus qu'une double plainte heureusement atténuée par le dôme. Dans quelques instants, les globes éclateront comme d'immenses baudruches et les lambeaux tomberont doucement dans la nuit glacée pour s'étaler sur le plateau. Et peut-être que, au matin, il verra à nouveau les oiseaux faire bombance. Les minutes s'étirent, longues et laborieuses. Son épiderme se couvre d'une fine couche de sueur. La pulsion sexuelle monte et monte encore sur la terrasse. Il essaie d'apercevoir le ciel mais sa position l'en empêche, imbriqué qu'il se trouve sous ces grosses femmes et ce pédé de Jones qui l'ont pris d'assaut. Brusquement, une stridence broie l'atmosphère et une onde titanesque de jouissance tétanise le corps d'Ulric. Il râle de plaisir, comme tous les gens sur la terrasse. Un véritable orgasme collectif. Une deuxième stridence tord l'air nocturne et a raison de son contrôle. Son sperme jaillit en multiples gerbes dans la gravité atténuée. Sur, sous et autour d'Ulric, des cris de plaisir, des gargouillements orgasmiques. Il tente de se dégager quand une troisième dislocation de l'ouïe se produit. La terrasse ne soutient plus qu'une masse de chair qui croule sous une récompense colossale. BzinggG! Un quatrième assaut. Qui coupe les jambes, qui écrase les esprits. Ulric a réussi à s'extraire et un spectacle fantastique s'offre à sa vue. Le Phénomène a pris une nouvelle configuration. Les colonnes bleues, enlacées deux à deux en une double spirale, se touchent uniquement par les sphères roses. Chaque ensemble tourne lentement, majestueux. Mais il y a plus extraordinaire. Sur le plateau, des milliers d'oiseaux attendent, silencieux.

□

— On dirait un peuple en exode, murmure Josiane, un peuple ailé qui se tait et se résigne.

Sur la terrasse, les clients se relèvent péniblement dans la brusque accalmie. La musique des sphères s'est arrêtée et un profond silence pèse sur l'Île Résolution et la Maison close sur le nord. En bas, deux oiseaux s'envolent. Ils lancent dans l'air d'inquiétants Tekeli-li. Les regardant battre puissamment des ailes avec comme fond de décor les doubles hélices géantes, Ulric s'aperçoit avec stupéfaction que ces doubles structures représentent l'image exacte de la molécule d'acide désoxyribonucléique: l'ADN. Toujours deux à deux, les envols sont de plus en plus nombreux et une certaine agitation s'empare des volatiles. Difficilement, Ulric suit les deux premiers. Ils se dirigent vers deux sphères accolées, ils foncent vers elles et... BzinggG. Le couple animal et les sphères se sont volatilisés en un long éclair lumineux. L'onde de plaisir a plié tous les gens de la Maison. Les raisons chancellent et un vent de panique souffle à la vue de tous ces oiseaux en ascension. BzinggG, BzinggG! Ulric essaie de rejoindre Maryline et Josiane s'efforce de le suivre. Les pensées deviennent discontinues. La jouissance dégénère en douleur. BzinggG, BzinggG! Josiane a perdu connaissance. Des hommes et des femmes hurlent, courent droit devant eux et se frappent, se battent, percutent le dôme avec violence. Les forces d'Ulric s'amenuisent et sa volonté s'obscurcit durant de longues secondes sous la douleur intense. NONN! Ulric hurle sous la torture. Les décharges se suivent en salves continuelles. Dans un horrible déchirement, la porte du dôme donnant sur la passerelle se lézarde et vole en milliers d'éclats. Le froid de la nuit s'engouffre aussitôt. C'est l'effroi dans le brouillard épais qui a envahi la terrasse. La folie a maintenant gagné toutes les têtes et c'est la ruée vers l'extérieur. Il faut fuir, fuir, fuir. Mais la passerelle est étroite. Embouteillage, pression aveugle de la peur. Soudain la rampe protectrice lâche et hommes et femmes sont précipités dans le vide. Et la foule qui pousse, qui suit, qui hurle... Les lemmings fuient le refuge...

□

La Tour Blanche, Île Résolution, 21 avril 84
... Louise a disparu. Nous avons fouillé de fond en comble la Tour Blanche, nous avons survolé une surface de près de dix kilomètres de diamètre avec l'hélicoptère solaire, peine perdue. Ni traces ni indices ni corps. Mais est-elle seulement revenue à notre réalité, celle de la Tour Blanche? Nous nous sommes éveillés à trois dans le grand salon du huitième, nus, allongés sur le plancher, sans aucun souvenir depuis nos évanouissements respectifs, ou plutôt ceux de Josiane, Ludovic et Ulric. Dehors, autour de la Tour Blanche, pas la moindre trace d'hécatombe. Sur le plateau, pourtant, des milliers d'empreintes: les oiseaux de Poe. Vers la fin de l'après-midi, une tempête s'est levée. Je suis découragé, et Aline et Christopher ont eux sombré dans le pessimisme. Il est strictement impossible de survivre dans l'environnement inhumain de l'Île Résolution. Dans ma tête, les visions aperçues dans le lambeau de sphère refont surface. Une nef cosmique flotte dans l'espace, des vapeurs fuligineuses flottent sur une mer en furie, des vallées désertiques s'enfoncent entre de gigantesques falaises de marbre. Des bribes d'idées incongrues me reviennent aussi et me font sourire des théories de Darwin et rêver devant les hypothèses de LeChanterneau. Aline m'a fait lire ce fragment qui porte la numérotation 165. C'est une description d'une véritable arche de Noé stellaire. Je ne sais pas. Le texte rejoint-il

mes visions, fait-il réellement partie de ce maudit roman? Je suis exténué par la recherche d'un indice qui nous donnerait un début d'explication à toute cette histoire. Et cette zone de failles au nord de la Tour Blanche. Comme si une masse colossale montant des entrailles de l'Île Résolution avait soulevé le plateau et sa couverture de glace. Est-ce la cause de tous ces tremblements de terre, ou un effet? Tout n'est que mystère. Mon esprit est las. Une longue nuit de sommeil me fera sûrement grand bien. Et qui sait? Peut-être demain d'autres amis nous apporteront-ils un autre texte de l'aïeul qui nous dira le fin mot de tout ce drame, un texte qui aurait comme titre quelque chose comme «Fragments d'une interférence: la maison close sur le nord».

Québec, juin 1981

Le labyrinthe

Esther Rochon

PARCOURS I

Ça me fait tout drôle de t'apercevoir sur l'écran, Tsarkil, depuis plus de seize ans que nous sommes séparés. J'ai cinquante ans et je suis plus belle que je ne l'étais à l'époque; toi, tu te ressembles. Tu n'aimerais pas le pantalon de cuir sur mes jambes maigres, ni mes cheveux poivre et sel, mais depuis longtemps je ne vis plus pour toi, depuis longtemps nous sommes désaccordés.

T'est-il arrivé d'avoir comme moi la nostalgie du temps où nous parcourions le labyrinthe ensemble? Côte à côte, le sac au dos, nous arpentions les couloirs et la joie de choisir à deux les embranchements reflétait la fougue de mon amour pour toi; plastiques et béton s'illuminaient de ta présence, tu me faisais pressentir le centre, Tsarkil, comme si j'y étais déjà.

Nous partagions tout et j'aurais voulu que nous partagions davantage; nous étions inséparables et j'aurais voulu que nous soyons encore plus unis. Ça t'agaçait. Un jour, nous nous sommes disputés: tu disais que le chemin du centre passait par la zone brune qui s'amorçait devant, tandis que j'étais convaincue qu'il fallait tenter notre chance par le sas multidimensionnel. La recherche du centre avait pour chacun de nous plus d'importance que notre accord. Nous nous sommes séparés. Pendant des mois j'ai stupidement espéré me retrouver face à face avec toi au détour d'un couloir. Que je t'aperçoive maintenant tient du prodige. En général, si on se quitte dans le labyrinthe, on ne se voit plus jamais.

Tu n'étais pas le premier que je quittais, loin de là. J'ai

commencé tôt. Je viens d'un monde où les gens s'aggluti-
nent les uns aux autres. Ils n'ont heureusement pas érigé
l'agglutination en dogme, si bien qu'ils ont accordé leur
participation à l'aménagement du labyrinthe. Une porte y
accédait dans la ville où je vivais. Une porte de sortie,
autrement dit. Je me suis mariée à dix-sept ans. Trois ans
plus tard, j'avais trois enfants. Trois ans encore, et j'en
avais plus qu'assez. Tous prenaient pour acquis que j'aie
beaucoup d'enfants, personne ne me parlait, n'était aimable. Mais il y avait le labyrinthe, et j'avais un peu d'argent
de côté, assez pour acheter quelques conserves, un sac à
dos et un billet d'entrée.

Je n'ai pas tué, je n'ai rien fait de mal. Libre à des
enfants de profiter de l'hospitalité de ma matrice avant de
naître, mais un jour je suis partie. Je m'attendais à ne
jamais pouvoir revenir, je m'attendais à ce qu'on ne me
retrouve jamais. On a toujours le droit de s'en aller.

Le fonctionnaire à l'entrée a consulté ses dossiers,
pris mes empreintes, posé quelques questions. Puis il m'a
donné mon équipement et m'a fait passer le guichet (à la
maison peut-être les enfants braillaient-ils en m'appelant.
Bon. Ils s'habitueraient à quelqu'un d'autre. Ou bien ils ne
s'habitueraient pas. Je n'avais même pas laissé de lettre
d'adieu. On n'a pas d'explications à donner aux gens qui
ne comprennent pas.). Des psychologues (ha!) ont dit que
cinq pour cent des gens du monde où je suis née avaient le
potentiel de devenir nomades du labyrinthe. Devenir
nomade est toléré, parce que si on gagne, si on trouve le
centre, on reçoit des privilèges: pouvoir se promener
partout, avoir accès aux plans, être admissible à de hauts
postes, etc. Le prestige en rejaillit sur le monde d'origine
toujours avide de gloriole. Ces cinq pour cent sont une
proportion assez élevée, qui s'explique par trop d'agglutination, pas assez d'échanges: plusieurs cassent. À vingt-
trois ans, j'ai cassé.

Le fonctionnaire ne m'a pas fait de sermon sur les

joies de la maternité. Il était dévoué corps et âme à l'idéologie du labyrinthe. Il m'a parlé du centre: «Il est intrinsèquement méritoire de l'atteindre». Quand il a eu fini, j'ai pu partir.

C'est à reculons que le gouvernement (paternaliste et paranoïaque) du monde d'où je viens avait consenti à établir la communication avec d'autres mondes au moyen du labyrinthe. Alors ils ont fait décorer les corridors qui mènent à leurs sorties — ceux qu'ils faisaient construire entièrement à leurs frais — avec toutes sortes de fleurs peintes et d'animaux, comme s'ils voulaient souhaiter la bienvenue aux pauvres égarés qui échoueraient chez eux, et donner des remords à ceux qui partaient, qui s'enfonceraient bientôt dans le gris, le brun, le plastique. Choix discutable pour le moins, et je n'étais pas fâchée de quitter les parages même si je ne savais pas où j'allais.

Mes premiers mois dans le labyrinthe se sont passés dans l'euphorie. En dépit de mes bonnes intentions, trouver le centre était le cadet de mes soucis. Je me dérouillais les jambes sans me faire crier après, ça suffisait à mon bonheur. Plus de vaisselle, plus de couches, le paradis. Apprendre à dénicher les machines distributrices, les toilettes, bains, lavoirs. Nettoyer les couloirs de temps en temps — un plaisir. Certaines parties du labyrinthe ont été construites de main connue, d'autres non: certaines sont bien aménagées, d'autres non. Dormir sur la dure. Utiliser le walkie-talkie pour demander des renseignements à un fonctionnaire (ils pouvaient nous dire l'heure, nous guider vers la toilette, la machine distributrice ou la sortie la plus proche). Consulter le manuel de l'usager — un petit livre con. Se faire des copains. Savoir où acheter des préservatifs et des serviettes sanitaires. Vaincre sa peur de franchir les sas multidimensionnels, se sentir désintégré et réintégré sur un autre plan. Fumer. Boire. La belle vie.

Ensuite il a fallu que je me fasse à la routine du va-et-vient: quitter le labyrinthe, de préférence dans un endroit sympa, quand par exemple l'argent commence à manquer, se trouver un petit emploi (serveuse, femme de ménage, etc.), faire des économies et puis repartir. Bien sûr personne ne nous oblige à repartir, mais pourquoi rester? Pour rencontrer un beau gars fiable à qui on ferait des enfants? Pour l'enlisement?

Si nous échouons dans une grande ville, nous, du labyrinthe, y trouvons nos cafés, nos librairies, notre ghetto. Un style de bijoux pour nous, un style de vêtements. On se reconnaît. J'ai rencontré un joueur d'orgue de barbarie qui avait ses trente ans de labyrinthe dans le corps. Ça m'impressionnait. Il faisait partie d'un groupe — un culte? — qui croyait que le manuel de l'usager du labyrinthe était un livre sacré. On en récitait des phrases: «Quand les murs du couloir sont jaunes on est près d'une sortie», et en faisant des manipulations sur chaque mot, sur chaque lettre, on obtenait: «Celui dont le cœur est pur peut seul atteindre le centre», ce qui était censé être une vérité profonde, et puis on jeûnait pour se purifier. Tout ça c'était bien excitant, on se sentait comme des initiés, des membres de sociétés secrètes, on toisait les fonctionnaires de haut quand on entrait dans le labyrinthe: ils ne savaient même pas de quels redoutables mystères ils étaient les gardiens, tandis que nous, nous avions le cœur pur.

Ce genre d'amusette m'a captivée pendant quelques années, mais enfin on se lasse de tout. Je me rendais compte que le labyrinthe était d'une autre trempe que les petits ghettos qui s'étaient formés autour, que la quête du centre n'avait rien à voir avec l'art de tromper les fonctionnaires pour allumer des feux de camp à la croisée des couloirs et chanter au son des guitares en souriant d'un air béat. Alors j'ai quitté les feux de camps. J'ai quitté des compagnons, des compagnes pour qui j'avais de l'amitié. J'ai pris mes affaires et je suis partie. Chercher le centre.

J'ai vagabondé seule pendant un bout de temps. Je croisais rarement des gens. L'espace du labyrinthe est vaste. Je me souviens d'une zone où les couloirs étaient si hauts, si larges, qu'on se croyait à l'extérieur. Le vent s'engouffrait là-dedans, de l'eau coulait à terre. Il y avait des sortes de tombeaux, çà et là, dans des salles à colonnes s'étendant à perte de vue. Je me disais que le centre ne devait pas être loin, parce que pour moi trouver le centre était un absolu, comme mourir. On utilise son intuition dans le labyrinthe, parmi d'autres boussoles. Après quelques jours là-dedans je me suis tournée vers les tombeaux, pour déchiffrer des épitaphes en demandant avec mon walkie-talkie l'aide du fonctionnaire de service. Comme ce n'était pas de nécessité vitale, il s'est fait payer (cette fois-là j'avais déposé de l'argent dans un compte de dépenses. L'ordinateur a émis un crédit à son nom.). Je lui épelais les mots, quand ils étaient rédigés dans un alphabet que je connaissais: «Tidil Kalarint, ouvrier tué lors du raccordement des zones 9—KK et F. f», «Silivrine (TALA 12-15) s'est donné la mort près du sas 89WW + Z». Puis j'ai commencé à entendre des rugissements au loin, et quand j'ai demandé au fonctionnaire s'il y avait des animaux sauvages dans la zone où j'étais, il a répondu «Pourquoi pas?». Alors j'ai pris le sas multidimensionnel le plus proche en espérant rencontrer quelqu'un à épater avec mon aventure.

Quand on prend un sas multidimensionnel on ne sait jamais où on aboutit. Je me suis retrouvée à côté d'une pouponnière. Une pouponnière en plein labyrinthe. Il semble que certaines femmes viennent dans les zones d'accès pour accoucher d'enfants non voulus. Comme elles ne se sont pas éloignées de la porte, elles peuvent sortir par où elles sont entrées, et retrouver leur monde, tandis que l'enfant apatride est expulsé ou pris en charge par les fonctionnaires.

J'ai travaillé à la pouponnière pendant quelques

années. À côté il y avait un jardin d'enfants, une école. La plupart des fonctionnaires venaient de là.

J'aimais ce travail. Le biberon, les couches, comme du temps où j'étais mère de famille, mais la communication en plus. Avec les collègues, les fournisseurs, les passants. Un stage d'information sur le labyrinthe. Et sur la vie.

C'est là que j'ai rencontré pour la première fois des gens qui avaient trouvé le centre. Ils avaient l'air tout à fait ordinaire. Assez ennuyeux. Comme passés au papier sablé. Les hauts fonctionnaires qui venaient nous voir se recrutent parmi les gens qui ont trouvé le centre et qui ont par la suite étudié les plans du labyrinthe. (On ne peut pas trouver le centre avec un plan, mais on peut voyager sur la périphérie.) Devant eux je me sentais mal dégrossie, barbare. Mais cette impression-là s'est effacée avec le temps: ils existaient et moi aussi, rien de plus.

Puisque je travaillais à la pouponnière, j'étais fonctionnaire, et en cette qualité j'avais le privilège de prendre un an de congé payé tous les quatre ans pour chercher le centre (ou pour toute autre raison). J'étais contente de cette année de congé. Au bout d'un mois je t'ai rencontré. Je ne m'y attendais pas. J'étais préparée à trouver le centre, pas à tomber amoureuse. On n'a pas toujours le choix.

Nous avons fait route ensemble, nous abandonnant à nous raconter nos vies, à être sentimentaux. Est-ce que je régressais, est-ce que je trahissais la quête quand je buvais ta présence comme un nourrisson boit du lait? Absurde. J'avais l'esprit en fête, en fête et en douleur, complètement à vif, aux aguets et nous traversions les sas en nous tenant enlacés à l'étroit dans la cabine, pour nous réintégrer ensemble dans des champs de fleurs, dans des salles de bal, dans des fêtes aquatiques où nous faisions l'amour dans des barques. Nous découvrions l'extrême richesse, la belle générosité du labyrinthe. Puis nous nous sommes à nouveau égarés dans des zones grises, tu ne me laissais plus t'aimer, nous nous sommes querellés, puis séparés. J'ai pleuré ton départ.

Nous étions demeurés trois ans ensemble. Pendant les deux dernières années nous étions redevenus nomades. À nouveau seule, j'ai erré quelques mois. En un sens, c'était reposant de te savoir hors d'atteinte, de voir à nouveau le monde tel quel, sans ta présence ensorcelante. On s'était rencontrés dans la tristesse, et quand les choses étaient allées mieux on s'était rendu compte qu'après tout on ne parlait pas la même langue. On s'était remonté le moral l'un l'autre pour découvrir ensuite qu'on avait peu à se dire. Alors les habitudes avaient repris le dessus: «Je m'excuse, j'ai fait erreur, je me suis laissé entraîner par la passion, mais dans le fond tu es tout à fait le genre de personne que je n'aime pas. Regarde-toi: tu as telle et telle caractéristique physique, tel et tel comportement; je ne te le reproche pas, tu n'y peux rien, mais moi, tu sais, ce genre-là, je n'aime pas ça. Tu ne peux pas te changer, d'ailleurs il n'y a pas de mal à être ainsi, surtout n'essaie pas de changer pour me faire plaisir ça n'en vaut pas la peine et ça ne servirait à rien». C'est comme ça: la nuit de la douleur unit les gens, mais quand surgit le soleil des habitudes et des conventions, ils aperçoivent leurs masques et s'enfuient épouvantés les uns des autres.

Peut-être est-ce là une des fonctions du labyrinthe: rendre visibles ces mécanismes. Tu es parti d'un côté et moi de l'autre, bon débarras. J'ai pleuré pendant des mois. Pleurer, ça ne ralentit pas la marche.

À nouveau j'ai rempli des formulaires, j'ai fait jouer des influences; je me suis remise à travailler à la pouponnière. Il y a quatre ans, pendant l'année de congé qui précédait celle où je suis maintenant, j'ai été victime d'une tentative de viol. Un homme, qui venait sans doute d'un monde éloigné parce qu'il avait des griffes à la place des mains, a essayé de me sauter dessus. J'ai actionné l'alarme de mon walkie-talkie, ce qui a isolé la section où nous étions, et j'ai dû lui tenir tête jusqu'à l'arrivée du service de sécurité. De telles attaques sont rares. Il s'est avéré que cet homme n'en était pas à son premier délit. Conformément aux règles du labyrinthe il fut expulsé et on m'accorda une récompense.

Une fonctionnaire haut placée — sourire et regard impavides — m'a reçue à son bureau. Beaucoup plus jeune que moi, elle avait par contre déjà trouvé le centre. Pour mes bons services elle m'a donné le choix entre de l'argent, la possibilité de revoir mes enfants, ou un indice pour atteindre mon but. Les enfants? J'y avais pensé, d'autant plus que je les avais en quelque sorte quittés sur un coup de tête. Ils étaient maintenant adultes, à supposer qu'ils soient vivants, ce serait intéressant de renouer. Mais j'avais d'abord à régler mes comptes avec le centre. Je choisis l'indice.

Elle ouvrit un fichier, en sortit un petit papier et me le tendit: «La zone qui entoure le centre est la seule munie d'écrans de contrôle. Ils montrent continuellement le centre». Depuis longtemps j'avais lu dans le manuel de l'usager que l'on annonçait son arrivée au centre en appuyant sur le bouton rouge qui s'y trouvait. Maintenant j'en savais un peu plus, mais à peine.

Une partie du plan du labyrinthe, je l'avais entendu dire, se vendait à prix d'or. Acheté par certains mondes, certaines corporations, ce plan partiel permettait d'utiliser des couloirs, des sas, pour faire circuler des denrées d'un monde à un autre. Parallèlement au réseau couramment utilisé par les nomades se trouvait un réseau de poids lourds et de wagonnets, avec des sas énormes, munis d'ordinateurs et de pilotes expérimentés pour contrôler parfaitement le lieu d'arrivée. Les bénéfices de ce système finançaient presque entièrement l'entretien du réseau nomade. Je ne voyais pas quel intérêt l'administration du labyrinthe trouvait à faciliter à certaines personnes l'accès au centre. Bien sûr il y a des phrases toutes faites: «C'est un lieu de ferveur, de rayonnement, d'amour. Il existe de toute éternité. C'est vraiment le point d'accord de tous les mondes». Ces phrases, l'administration y croit-elle? Ce sont des phrases de catéchisme, qu'on se récite en soi-même pour ne pas avoir l'air trop idiot de passer des journées dans des corridors vides, des phrases qui alimentent une sous-culture. Pourquoi des comptables et des agents de sécurité y souscriraient-ils? À moins que ça ne les aide à trouver la vie moins ennuyeuse. C'est à cause de ces phrases-là que j'avais eu le front d'abandonner ma famille, que j'avais surmonté tous les découragements sans savoir ce qui m'attendait au bout. De là à ce que les fonctionnaires eux-mêmes, ceux qui avaient trouvé, aient cette même foi brûlante, inconditionnelle, extrêmement embarrassante, en un centre primordial, brillant, dont l'accès avait été aménagé de main d'homme, certes, mais qui existait indépendamment de tout le reste! Je posai une question en ce sens. «C'est une affaire de communication, répondit la fonctionnaire. On a vu le centre, on n'est plus tout à fait la même personne. Pour certains, c'est un choc. Il est bon que ces choses-là se sachent. Le labyrinthe est pour la communication, non seulement des objets, mais des idées, des états d'esprit. Nous n'en avons pas encore l'habitude. Ses capacités ne sont pas encore bien connues à l'extérieur. Si plus de personnes connaissent le centre, c'est bon pour nous, pour tous. Mais on ne peut pas prendre les gens par la main, les traîner ou les guider là. À cause des propriétés des sas qui en commandent l'accès, seuls ceux qui le veulent trouvent moyen d'y parvenir, et sans autre aide que des indices. C'est dans la nature des choses; nous, nous ne faisons qu'être au service de la nature des choses».

J'ai passé les six mois suivants à chercher des écrans de contrôle. En vain. Puis j'ai repris mon travail à la pouponnière. J'ai parlé de l'indice à d'autres, parce qu'on ne m'avait pas demandé de garder le secret. Des gens sont revenus me dire que je les avais aidés à trouver. Ils avaient l'air heureux. Ça me rendait heureuse tout en m'agaçant. Pourquoi eux et pas moi? Dans le fond ça m'était un peu égal: depuis toutes ces années mon désir du centre avait quelque chose d'habituel, d'apprivoisé. Comme une vieille douleur, une vieille peine d'amour, qui fait mal de temps en temps, qui ne s'en ira jamais complètement, qui désarçonne momentanément, mais sans plus.

Voilà trois mois, je me suis encore mise à la recherche du centre. Avant-hier j'ai atteint la zone du cimetière où j'étais allée il y a longtemps. Et puis, il y a un moment, je me suis trouvée en face de mon premier écran. Le centre est tout près.

L'écran noir et blanc est relié à une caméra mobile qui balaie entièrement le centre. Celui-ci est une pièce d'apparence banale, assez petite, avec des murs de grosses briques. Je ne vois pas le bouton au milieu parce qu'à cet endroit le sol est occupé par deux cadavres d'hommes qui s'enlacent. Je ne vois pas le visage de ton amant. Je suis jalouse de lui. Après tout l'amour que j'ai eu pour toi il faut que ce soit cet inconnu que tu embrasses en mourant? Il faut que j'en sois témoin? Un tel manque de tact de votre part justifie que vous ne soyez plus que des cadavres, et puis on vous fera un tombeau, les amants du labyrinthe, dans la salle d'à côté.

De quoi êtes-vous morts? Deux petites natures incapables de supporter le choc d'avoir atteint le but? Double suicide? Ou bien quelque animal féroce qui rôde encore tout près? D'ailleurs pourquoi le service de sécurité ne vous a-t-il pas déjà emportés? Pourquoi suis-je seule avec vous?

Dans l'entrée de droite de la pièce où je suis on a commencé à dérouler un fil rouge, qui s'enfonce sinueusement dans le corridor voisin. Je t'ai examiné, Tsarkil, quand la caméra qui tourne sans cesse permet de te voir, j'ai scruté tes mains. Dans la gauche, oui, tu tiens une bobine.

Je vais mourir peut-être en m'approchant de vous (fauve, serpent, gaz empoisonné, quelque chose a dû vous tuer — l'extase?) mais je n'ai rien à perdre. Le fait que vous soyez au centre ne me fera pas rebrousser chemin. En fait, vous me facilitez la tâche. Je vous en suis reconnaissante. Suivre le fil, écarter vos cadavres, appuyer sur le bouton. Je vous regarde à nouveau, toi et ton amant, puis je vais vous rejoindre.

PARCOURS II

Bien-aimé, il y a des années que je ne t'avais vu et c'est ici que je te retrouve, en ce lieu sans résonance, en ce lieu terriblement exact où nous sommes seuls. Je te vois sur l'écran, étendu à terre, serrant dans ta main si maigre, si longue, une bobine de fil qui se déroule et dans la pièce où je suis il y a un fil orange qui serpente et qui sort par la porte.

Je m'assieds à terre, émue. Je ne m'attendais pas à te trouver ici.

Je suis une vieille femme, Coriandre, mes genoux tremblent. Je me serre dans mes jupes. Je ne sais pas si je vais suivre le fil pour te rejoindre. Tu as l'air si jeune, comme toujours, si brillant. Tiens, rien qu'à te regarder je pleure. Tu étais plus que mon compagnon et mon amant, tu étais comme mon frère, comme mon fils, ma chair et mon sang, et je pensais t'avoir perdu pour toujours. Je t'avais quitté sans me rendre compte à quel point je t'aimais et tu réapparais maintenant, après toutes ces années, c'est incroyable. Peut-être es-tu mort, étendu comme ça, mais te voir, simplement te voir mort ou vif, déjà c'est inespéré.

J'étais jeune comme toi quand je suis entrée dans le labyrinthe. Laissant derrière moi mon pays et ses souffrances. J'entrais dans le labyrinthe pour chercher le centre, pour être une de plus à le connaître, une de plus à ne rien désirer, à pouvoir tout donner. Il y a longtemps que je marche, vagabonde du labyrinthe, demi-mendiante, couchant dans les couloirs.

Peut-être avais-je quitté mon pays trop vite, heureuse de laisser derrière moi ces tourbillons de mesquinerie comme des tempêtes de sable, ces injustices. Peut-être aurais-je dû me battre mieux, attendre avec patience le moment propice au départ. Mon pays, je l'aperçois parfois dans le miroitement de certains murs de verre du labyrinthe. Une fois même j'ai vu un corbeau voler de l'autre côté. Crois-tu que j'aurais dû prendre ma chaussure pour casser la fenêtre, et que l'oiseau vienne, que le dehors s'engouffre ici? Mais cette fois-là, c'est vrai, je n'avais pas de chaussures. Elles n'étaient pas nécessaires sur le sol lisse et tiède. Alors les famines, les tortures, les maladies sont restées dehors et moi dedans. Protégée. Sans nouvelles. Sans personne à aider, à guérir. Sans autre but que de trouver le centre, de comprendre ce qui est.

Coriandre, tu le sais comme il est bon d'entrer dans le labyrinthe. De se détacher du vacarme, du tumulte. On cherche l'essentiel, c'est vrai, mais souvent on fuit aussi. Je fuyais. Je me mettais à l'abri. Ça n'a rien de honteux. Du moment qu'on n'en reste pas là toute sa vie. J'ai hâte de trouver le centre, pour pouvoir sortir la tête haute. Savoir guérir. Savoir me battre contre la bêtise. Mais je cherche encore. Je vais peut-être mourir sans avoir trouvé.

Je ne te connaissais pas alors. De temps en temps je trouvais des compagnons. Nous nous prenions pour des justes. Il nous avait fallu un certain courage pour quitter les nôtres, il nous en aurait fallu plus pour rester avec eux. Comment trouver le centre sans connaître l'humilité? Le labyrinthe était pour nous un grand terrain de jeux.

De temps en temps je sortais gagner de quoi continuer le voyage. Plus le temps passait, plus les sorties auxquelles j'accédais étaient loin de mon pays. Ce labyrinthe est immense, suspendu dans le ciel au-dessus des terres et des océans, s'enfonçant dans l'espace. Longtemps je m'en suis tenue aux zones extérieures. Pour refaire mes forces. Pour atténuer la honte d'avoir abandonné mon pays, ses luttes, sa sincérité. À partir des villes où j'arrivais, j'envoyais des lettres là-bas, et je me remettais à la recherche du centre sans avoir attendu la réponse.

Un jour j'ai eu le courage de franchir mon premier sas. De l'autre côté il y avait des corridors mornes et déserts, semblables à ceux que je venais de quitter. J'ai marché pendant des jours sans rencontrer personne. C'était beau. Quand je suis sortie, je n'étais plus dans le monde où j'étais née. Si un jour je voulais rentrer chez moi, il faudrait que je passe par le circuit commercial du labyrinthe, ce qui coûterait très cher. Autant dire que je n'avais plus de pays.

Je n'ai plus de pays mais je t'ai devant moi, Coriandre. C'est comme si la ville de mon enfance m'était rendue, avec ses jeux dans les terrains vagues, ses courses sur les trottoirs, sa joie malgré la poussière, tu es là et je ne peux pas y croire. Tu es là.

Comme il est facile d'apprendre la dureté en marchant dans les couloirs, facile de se fermer, de s'enorgueillir de sa résistance, de son autonomie. Facile et inutile. J'ai marché assez longtemps pour apprécier le bonheur de me sentir entièrement vulnérable devant toi. Si tu me rejettes, je n'insisterai pas, mais mon affection pour toi durera aussi longtemps que je pourrai penser à toi. Jamais je ne te voudrai de mal, je te regarde et je suis à jamais désarmée, quoi qu'il advienne. Vulnérable devant toi, vulnérable devant tout, ouverte, attentive.

Que serait le labyrinthe sans vulnérabilité? Mes années dans ces couloirs m'ont éduquée, à présent mes yeux s'emplissent de tendresse quand je vois de la mousse pousser sur les murs près des ampoules électriques, je m'arrête si un insecte traverse mon chemin et en te retrouvant ici, Coriandre, toi qui en fait ne fus qu'un compagnon parmi d'autres, je suis bouleversée. Je serais bouleversée par à peu près n'importe quoi, je le suis maintenant. Des pensées d'amour paroxysmique surgissent, avec toute leur flamme et leur banalité, mais elles ne s'appuient sur rien de concret, sur aucun engagement que nous aurions pris l'un envers l'autre, elles viennent de souvenirs et de regrets, rien de plus. Je suis vieille et il a dû y avoir bien d'autres personnes dans ta vie depuis que nous nous sommes perdus de vue.

J'ai l'habitude du brouillard, de la pénombre, du ciment. J'ai entendu parler de serres, de jardins, de lacs intérieurs sans jamais en voir. J'ai cherché le centre dans des couloirs bruns, sans hâte ni désir de merveilles. Je ne t'ai jamais espéré. Te souviens-tu de la cape de velours et de satin irisé que tu portais? Tu avais l'air d'un papillon exotique. Tu soignais ton apparence. Ça m'amusait. Je ne croyais pas que nous ferions un bout de chemin tous les deux: tu étais trop beau pour moi, trop jeune, trop étince-lant. Pourtant nous sommes restés quatre ans ensemble. J'avais encore l'âge d'avoir des enfants, j'aurais aimé en avoir un de toi. Tu n'as pas voulu. Sagacité de ta part: que serait-il devenu? Sans patrie?

Tu m'as appris à franchir les sas avec l'aisance d'un patineur de fantaisie, à jouir de ce moment de désintégra-tion comme d'un orgasme. Par ta présence le monde que je percevais prenait des couleurs. Ensemble nous avons découvert des fresques, des aquariums, des rivières cha-toyantes à descendre à la nage. Tu m'éblouissais. J'en oubliais presque le but du voyage. Mais des divergences ont surgi entre nous, et nous nous sommes séparés rapidement, sans éclat de voix; le labyrinthe ne nous avait pas encore rendus assez vulnérables pour que nous reconnaissions la richesse inestimable, unique de ce que nous vivions ensemble. L'authenticité de notre recherche avait fait naître une trop grande fierté, qui nous empêchait de vouloir préserver la profondeur de la communication entre nous. D'où cette séparation, qui, indépendamment de tout sentimentalisme, fut une erreur.

Tout comme toi, sur le coup j'ai cru bien agir. Mais je

me suis bientôt trouvée découragée. Je ne comprenais plus ce que je cherchais, du centre ou de ton souvenir. Le labyrinthe me semblait hostile, incompréhensible. Je lui avais tout sacrifié et je n'avais rien reçu en retour. Je suis sortie.

Je me suis retrouvée dans une ville beige, aux édifices très hauts, où les gens ne se parlaient presque pas. J'y ai été femme de ménage dans un hôpital. Astiquer des corridors. Nettoyer des couloirs. J'avais abandonné l'espoir de trouver le centre.

J'ai amassé des économies. Comme touriste, je suis passée par le labyrinthe en autobus, pour aller visiter mon pays. J'ai rendu visite à un cousin ou deux. Certaines de mes amies d'enfance étaient mortes. Je me sentais complètement apprivoisée, et aussi complètement vaincue. Je suis retournée à mon travail de femme de ménage.

Un soir, pourtant, par nostalgie, je me suis assise à l'entrée du labyrinthe. Une voyageuse est arrivée. Je l'ai hébergée, lui ai fait visiter la ville. Nous sommes entrées dans un magasin où elle a acheté une bobine de fil orangé, qu'elle m'a donnée. On ne cherche pas le centre pour soi-même. Quand on marche dans le labyrinthe le monde entier marche avec soi. Quand on trouve le centre, ou qu'on croit être sur le point de le trouver, on peut dérouler la bobine de fil pour en aider d'autres.

Elle est repartie et j'ai eu envie de la suivre. J'ai fait d'autres économies, je me suis entraînée à marcher. Six mois plus tard, il y a de cela quelques semaines, je reprenais le chemin à mon tour.

Avec les années mon esprit s'était calmé, les choses m'apparaissaient plus clairement. Au sortir d'un sas je pouvais sentir si je m'étais approchée ou éloignée du centre. Il m'arrivait de reprendre le même sas plusieurs fois de suite, parce que d'une fois à l'autre on n'arrive pas au même endroit. Quand j'avais l'impression de m'être rapprochée, je quittais le sas et je me mettais à marcher. Bien sûr il m'arrivait de me tromper ou de me perdre, mais j'avais quand même l'impression de savoir trouver mon chemin.

Les lieux, par leur forme même, expriment une atmosphère. Plus elle est calme, spacieuse, plus le centre est proche. Ce qui est déroutant, cependant, c'est que cet espace calme, on a tendance à l'utiliser pour donner libre cours à ses peurs, ses fantasmes de toutes sortes, si bien qu'on peut être effrayé de s'y trouver.

Comment j'en suis venue à cette conclusion? En prenant comme point de départ ces données connues de tous: le labyrinthe favorise la communication entre les mondes; son centre existe, il est accessible. Il me paraît donc pertinent de supposer que le centre soit un lieu de communication privilégié, ne serait-ce qu'avec soi-même. D'où le calme, l'espace. Expérimenter cela une première fois au centre, c'est être capable plus tard de se référer à cette expérience-là par le souvenir, que ce soit pour s'orienter si on désire revenir physiquement à ce centre, ou bien rayonner de soi-même le calme, l'espace que l'on y a connu. S'il n'en était pas ainsi, la quête du centre serait frivole, une sorte de jeu intellectuel pour déclassés, un snobisme. Mais je ne me sens pas snob quand je cherche, alors ce n'est pas ça. Je m'oriente d'après mon intuition et mon désir de trouver. C'est toi que j'ai trouvé aujourd'hui, Coriandre, ce qui m'étonne, comme si l'espace même du labyrinthe avait tenu compte de mon extrême affection pour toi et par la force des choses nous permettait de nous réunir.

Il y a un écran dans la pièce où je me trouve. Ce n'est pas la première fois que j'en aperçois dans le labyrinthe. Je ne sais pas ce qu'ils font là. D'habitude je les évite. Je n'ai jamais aimé regarder la télévision. Dans mon pays seuls les bourgeois exploiteurs en possèdent. Mais puisque c'est toi que je vois sur l'écran, j'oublie ce que cet appareil a de désagréable. Le fil que je vois à terre ici est sans doute celui que tu tiens à la main, si bien que nous ne devons pas être très loin l'un de l'autre. Tu crois être au centre, ou tout près, puisque tu l'as déroulé. Je ne suis pas certaine que tu aies raison, mais je vais te faire confiance parce que je t'aime.

Tendrement je joins mon fil à celui qui est à terre. Je le déroule en m'éloignant de toi, pour mieux indiquer la voie à ceux qui suivront. Je reviens sur mes pas. Je te revois. J'hésite. Es-tu mort? Peut-être dors-tu. Peut-être es-tu malade. Je t'aiderai. Je te donnerai mon sang s'il le faut. Si tu es vivant nous séparerons-nous encore? Je dépasse le nœud qui unit nos deux fils.

PARCOURS III

J'ai vingt-deux ans et je suis née dans le labyrinthe. J'ai trouvé le centre il y a quelques mois, après cinq ans d'essais. C'est plus facile pour quelqu'un qui est né là: on en entend parler depuis si longtemps, et aussi l'entourage trouve cette recherche-là normale.

Quand je suis arrivée au centre, j'étais seule. Toutes sortes de fils traînaient par terre. J'ai appuyé sur le bouton rouge avec le pouce, pour que mes empreintes soient identifiées, et puis le message enregistré s'est déclenché pour dire: «Félicitations» dans une centaine de langues. J'ai attaché mon fil bleu à l'anneau à côté du bouton et je suis repartie en le déroulant, tandis que le message de félicitations continuait tout seul.

La plupart des gens ont plus de mal que moi à trouver. Ils ne savent pas traverser un sas, ils se laissent prendre à toutes sortes de fausses pistes. Certains investissent tant dans la quête qu'ils meurent en touchant le but. C'est arrivé à deux amants, découverts par une de mes amies. D'autres, fatigués, s'endorment après l'avoir atteint. Hier j'ai pris un café avec une vieille dame et un homme encore jeune, qui revenaient ensemble du centre, où ils s'étaient retrouvés après des années. Ils s'en allaient dans son monde à lui, avant de décider de ce qu'ils feraient ensuite. Trouver le centre, comme chacun sait, n'est que la première étape.

Il y a des gens qui ont l'impression d'avoir cherché le centre pour eux-mêmes, d'autres pour pouvoir aider autour d'eux, ou pour toutes sortes de raisons: ça ne change rien à la découverte: quand on a trouvé, on a trouvé. Ensuite certains se mettent à connaître le labyrinthe comme le fond de leur poche, à passer d'un monde à l'autre avec un contrôle parfait et sans effort, à servir d'intermédiaires entre les mondes, à servir d'inspiration pour que les gens communiquent mieux et trouvent eux aussi; d'autres, comme moi, ont un destin en apparence plus discret. Le labyrinthe surgit, parfaitement accessible, au milieu de mondes dont les habitants en général ne s'intéressent pas à son existence. Ils se croient indépendants de lui, pourtant le labyrinthe surgit en eux puisqu'ils vivent avec la possibilité d'y entrer: il leur arrive d'y penser. J'ai même entendu dire que parfois le bouton rouge du centre s'enfonçait tout seul parce que, quelque part dans un monde, quelqu'un a découvert le centre dans une sorte de rêve. Voilà justement des histoires à faire rêver; pour ma part je ne m'y attache pas trop.

J'ai trouvé le centre; il lui arrive de s'exprimer à travers moi. Ma perception du monde est comme avant, mais j'ai parfois l'impression qu'elle ressemble à un papier découpé posé devant la lumière du centre. Ma vie va sans doute continuer avec les impulsions qui y étaient déjà présentes, s'inscrire comme un ornement de plus sur cet immense papier, beau par endroits, déchiré à d'autres, et qui ailleurs brûle. Il brûle de douleur, il se déchire de mort, et pourtant sans cesse des gens y inscrivent des paroles d'une justesse inestimable, d'un équilibre exquis, qui annoncent le centre.

D'autres paroles sonnent moins juste, se prêtent à de mauvaises interprétations, ou au ridicule; certains voudraient s'approprier le centre, pouvoir y revenir souvent, en faire leur maison. Mais le mouvement dans le labyrinthe et dans les mondes est nécessaire pour tous. Un jour, il se peut que je quitte le labyrinthe pour aller dire tout ça ailleurs.

Pour le moment ma vie est calme. J'ai passé l'après-midi à classer des fiches; ce sera bientôt l'heure du souper; ce soir il y aura une réunion parce qu'il y a eu un éboulement avant-hier dans la section E8. J'essaierai peut-être de faire partie de l'équipe de déblaiement, ça me changerait d'air. Ma compagne de chambre a un serin; il s'est mis tout à l'heure à chanter. Dans le monde d'origine de mes parents, il paraît qu'au printemps les oiseaux chantent.

Les auteurs

ALEXANDRE AMPRIMOZ, poète, écrivain, critique aux nombreuses publications, est, avec «Le Meurtre d'une idée», le meilleur représentant au Canada francophone d'une science-fiction que l'on a parfois qualifiée de «spéculative». La science-fiction est ici pleinement une «expérience sur des idées».

JEAN-PIERRE APRIL est l'un des principaux auteurs de science-fiction au Québec, aussi bien par le nombre que par la qualité de ses récits (*La Machine à explorer la fiction*, les nouvelles publiées dans *imagine...* et le recueil *TéléToTaliTé*, à paraître). La science-fiction pratiquée par l'auteur est souvent une satire bouffonne des institutions; dans «Le Fantôme du Forum», sa cible est le sport et son corollaire, la bière «nationale».

FRANÇOIS BARCELO avait déjà fait une incursion nette dans la science-fiction avec sa trilogie des *Agénor, La Tribu* et *Ville-Dieu*, puisque, après tout, Agénor est un authentique extraterrestre. Dans «Écrivains XXIII», sa première nouvelle de science-fiction, l'auteur prouve que l'anticipation peut servir la critique sociale.

MICHEL BÉLIL est romancier (*Greenwich*), nouvelliste (entre autres *Déménagement*) et bibliographe de la science-fiction et du fantastique au Québec. «L'Angle parfait de Franco Bollo», sorte de «mathématiques-fiction», est typique de sa manière de nouvelliste. Ses qualités sont la concision et la rigueur.

ANDRÉ CARPENTIER est un auteur polyvalent qui œuvre dans de nombreux genres, y compris la bande dessinée et la poésie. «La Septième plaie du siècle» s'inscrit dans un projet d'envergure dont la réalisation s'échelonnera sur plusieurs années. L'auteur est également un anthologiste réputé.

JEAN-MARC GOUANVIC est le fondateur de la revue *imagine...* et des éditions «Les Imaginoïdes». Théoricien de la science-fiction (thèse de doctorat sur la poétique de la science-fiction), il a publié une cinquantaine d'articles sur ce sujet. Traducteur et réviseur de profession, il est directeur littéraire d'*imagine...*

AGNÈS GUITARD, l'auteure des *Corps communicants*, fait une entrée remarquée dans la science-fiction québécoise en publiant coup sur coup deux importantes nouvelles, «Coineraine» (*Espaces Imaginaires I*) et «Les Virus ambiance» qu'on lira ici. D'emblée l'auteure s'est imposée par la sûreté de son écriture.

HUGUETTE LÉGARÉ, romancière (*La Conversation entre hommes*), auteure dramatique, poète, est installée au Nouveau-Brunswick depuis une dizaine d'années. Elle présente dans «Les Trains-bulle de janvier» une vision finement ironique de la morne vie quotidienne de l'avenir.

MICHEL MARTIN est le pseudonyme d'un auteur bicéphale derrière lequel se cachent des écrivains jeunes, mais non plus tout à fait débutants. «Vingt sommes» est un excellent exemple de l'imaginaire de l'altérité propre à la science-fiction.

JEAN PETTIGREW, nouvelliste et critique de science-fiction, a fait ses premières armes sous pseudonymes dans la littérature dite «populaire». Le plaisir manifeste qu'il prend à raconter une histoire, peut-être le doit-il à ce premier contact avec l'écriture? «Fragments d'une interférence» est sa deuxième nouvelle publiée.

ESTHER ROCHON est romancière (*En Hommage aux araignées*, *Le Rêveur dans la citadelle*, publié en Allemagne) et nouvelliste. Elle a été l'une des principales animatrices de la science-fiction au Québec dès le début des années 1970. «Le Labyrinthe» est le premier texte d'une série sur ce thème.

Table

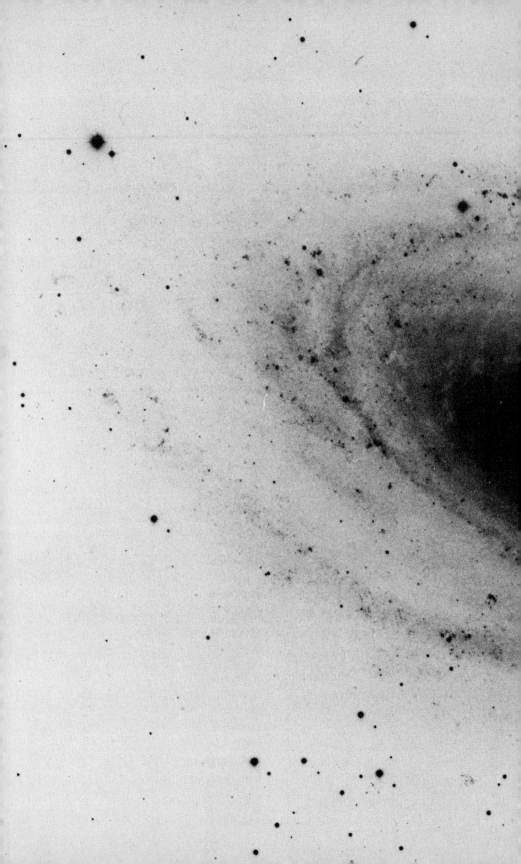

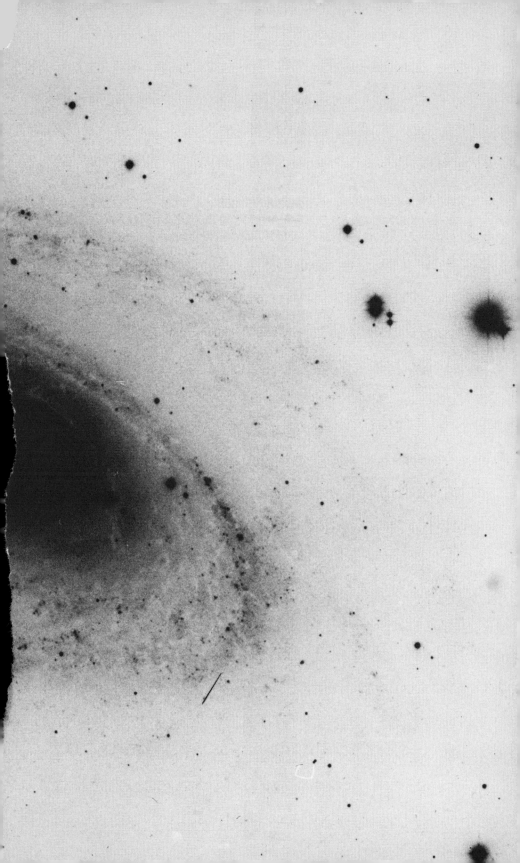

CET OUVRAGE
COMPOSÉ EN SOUVENIR LÉGER CORPS 12 SUR 14
A ÉTÉ ACHEVÉ D'IMPRIMER
LE CINQ NOVEMBRE MIL NEUF CENT QUATRE-VINGT-TROIS
PAR LES TRAVAILLEURS DES PRESSES DE
MÉTROPOLE LITHO
À VILLE D'ANJOU
POUR LE COMPTE DE
VLB ÉDITEUR.

FABRIQUÉ AU QUÉBEC (CANADA)